Comidas sencillas

Recetas esenciales

Simple Suppers
First published 2008 by
FLAME TREE PUBLISHING
Crabtree Hall, Cabtree Lane
Fulham, London SW6 6TY
United Kingdom
© 2013 Flame Tree Publishing Ltd

Traducción © 2013, Grupo Editorial Tomo, S.A. de C.V.
Nicolás San Juan 1043, Col. Del Valle, 03100, México, D.F.
Tels. 5575-6615, 5575-8701 y 5575-0186 Fax. 5575-6695
http://www.grupotomo.com.mx
ISBN-13: 978-607-415-448-1
Miembro de la Cámara Nacional
de la Industria Editorial No 2961

Traducción: Lorena Hidalgo Zebadúa
Diseño de portada: Karla Silva
Formación tipográfica: Armando Hernández
Supervisor de producción: Silvia Morales Torres

Este libro se publicó conforme al contrato establecido entre
Flame Tree Publishing y
Grupo Editorial Tomo, S.A. de C.V.

Impreso en Singapur - *Printed in Singapore*

Comidas sencillas

Recetas esenciales

Editado por Gina Steer

Grupo Editorial Tomo, S.A. de C.V.,
Nicolás San Juan 1043,
03100 México, D.F.

Contenido

Aves y carne 150

Postres 194

Higiene en la cocina

Es importante recordar que muchos alimentos contienen algún tipo de bacteria. En la mayoría de los casos, lo peor que pueden causar es un envenenamiento por alimentos o una gastroenteritis, que para ciertas personas puede resultar grave. Sin embargo, con una buena higiene y una cocción adecuada este riesgo puede reducirse o eliminarse.

No compres alimentos cuya fecha de venta ya haya pasado, ni consumas alimentos con fecha de caducidad vencida. Usa los ojos y la nariz cuando compres alimentos; si tiene un aspecto raro, se ve marchito, tiene mal color o simplemente no huele bien, entonces no lo compres, ni lo consumas bajo ninguna circunstancia.

Los trapos y los paños de la cocina deben ser lavados y cambiados con regularidad. Lo mejor es que uses paños desechables y los reemplaces todos los días. Los paños más duraderos deben remojarse en cloro y después lavarse en la lavadora con agua caliente. Mantén limpias tus manos, los utensilios y las superficies donde preparas los alimentos, no dejes que tus mascotas se trepen a las superficies de trabajo. Evita manipular alimentos si padeces del estómago, pues existe el riesgo de transmisión de bacterias durante la preparación de la comida.

Comprar

Cuando te sea posible evita comprar a granel, en especial si se trata de productos frescos. Los alimentos frescos pierden rápidamente su valor nutricional, así que comprarlos en pocas cantidades reduce la pérdida de nutrientes. Verifica que el empaquetado esté intacto y no dañado, ni perforado. Guarda los alimentos frescos en el refrigerador lo más rápido que puedas.

Cuando compres alimentos congelados verifica que no tengan demasiado hielo en la parte exterior y que se sienta que el contenido esté completamente congelado. Asegúrate de que hayan sido almacenados adecuadamente y de que la temperatura esté por debajo de los -18°C/ -0.4°F. Para llevarlos a casa utiliza en bolsas para alimentos congelados y guárdalas en el congelador lo más pronto que puedas.

Preparación

Debes poner especial atención al prepar carne y pescado crudos. Usa una tabla para picar específica para cada uno, el cuchillo, la tabla y tus manos deben estar perfectamente lavados antes de que manipules o prepares cualquier otro alimento. Hay tablas de plástico para picar de diferentes colores y diseños, lo cual te ayudará a diferenciarlas y el plástico tiene la ventaja de que se puede lavar en la lavadora de platos a altas temperaturas. Si vas a usar la tabla para el pescado, primero lávala en agua fría y después en agua caliente para evitar que se impregne el olor.

Al cocinar ten cuidado de mantener la comida cruda separada de la cocida para evitar que se contamine. Es bueno que laves todas las frutas y las verduras sin importar que vayas a consumirlas crudas o ligeramente cocidas. Aplica esta regla para hierbas y hojas prelavadas.

No recalientes la comida más de una vez. Si usas el horno de microondas, verifica que la comida esté muy caliente —en teoría, la comida debe alcanzar los 70°C/ 158°F y debe ser cocinada a esa temperatura durante tres minutos por lo menos para asegurar que hayan muerto todas las bacterias.

Todas las aves deben descongelarse bien antes de prepararlas. Saca los alimentos del congelador y colócalos sobre un recipiente que recolecte el líquido. Déjalos en el refrigerador hasta que estén descongelados por completo. Un pollo entero de 1.4kg/ 3 lb de peso tarda de 26 a 30 horas en descongelarse. Si quieres acelerar el proceso sumérgelo en agua fría y cambia el agua con regularidad. Cuando las articulaciones se muevan libremente y ya no queden cristales de hielo en la cavidad, entonces el pollo está listo. Una vez descongelado quita la envoltura y sécalo con papel absorbente. Coloca el pollo en un recipiente hondo, cúbrelo y guárdalo en la parte más baja que puedas del refrigerador. Cuece el pollo lo más pronto posible.

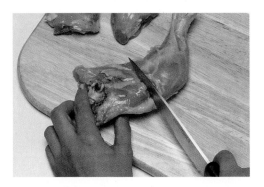

Hay muchos alimentos que pueden cocerse congelados, como los que se venden empaquetados (sopas, salsas, guisados y panes). Sigue las instrucciones del fabricante. Las verduras y las frutas también pueden cocerse congeladas, pero la carne y el pescado deben descongelarse primero. La única ocasión en la que puedes volver a congelar la comida es después de haberla descongelado por completo y cocinado. Una vez que la comida está totalmente fría puedes congelarla, pero no la conserves así durante más de un mes.

Todas las aves y las aves de caza (excepto el pato) deben cocerse bien. Cuando es así, los jugos salen claros de la parte más gruesa del ave —el mejor lugar para verificar la cocción es el muslo—. Otras carnes, como la de res, de cordero y de cerdo, deben cocerse al término deseado. El pescado debe tomar un color opaco, con textura firme y desmenuzarse fácilmente en trozos grandes.

Al recalentar asegúrate de que las sobras estén bien calientes y que las salsas y las sopas lleguen a punto de ebullición.

Guardar, refrigerar y congelar

La carne, las aves, el pescado, los mariscos y los productos lácteos deben refrigerarse. La temperatura del refrigerador debe estar entre 1-5°C/ 34-41°F, mientras que la temperatura del congelador no debe pasar de los -18°C/-0.4°F. Para asegurar una buena temperatura evita dejar abierta la puerta durante mucho tiempo. Procura no guardar demasiadas cosas, pues se reduce el flujo del aire en el interior y, por lo tanto, se reduce también la capacidad de enfriar la comida que está dentro.

Cuando refrigeres comida cocida deja que se enfríe por completo antes de meterla al refrigerador. La comida caliente aumenta la temperatura del refrigerador y es posible que afecte o eche a perder otros alimentos guardados.

La comida siempre debe estar tapada. La comida cruda y la cocida deben guardarse en diferentes lugares del refrigerador. Guarda la comida cocida en las repisas superiores; y la carne, las aves y el pescado crudos, en la parte inferior para evitar que goteen y que se contaminen. Se recomienda refrigerar los huevos para mantener su frescura y su tiempo de vida.

Limpia, descongela y ordena el refrigerador y el congelador; revisa las envolturas para saber con exactitud cuánto tiempo puedes tener congelado un alimento. Procura que los alimentos congelados no permanezcan en el congelador durante mucho tiempo. Las verduras blanqueadas duran un mes: la carne de res, la de cordero, la de ave y la de cerdo duran hasta seis meses; las verduras sin blanquear y las frutas en conserva, hasta un año. El pescado con alto contenido de grasa y las salchichas deben guardarse hasta seis meses; los pasteles duran congelados hasta seis meses.

Alimentos riesgosos

Algunos alimentos pueden representar un riesgo para la gente vulnerable, como los ancianos, los enfermos, las embarazadas, los bebés, los niños pequeños y quienes padecen de enfermedades recurrentes.

Existe la ligera posibilidad de que algunos huevos tengan la bacteria salmonela. Cuece los huevos hasta que la yema y la clara estén firmes para eliminar el riesgo. Pon especial atención en los platillos y en los productos que contengan huevo poco cocido o crudo, como salsa holandesa, mayonesa, mousses, soufflés, merengues, platillos con costra, helados y sorbetes. Algunas carnes y aves también representan el riesgo de portar salmonela, por lo que deben ser bien cocidos hasta que los jugos salgan claros y no tengan partes de color rosa. Los productos sin pasteurizar, como la leche, el queso (en especial el suave) el paté, la carne (cruda y cocida) pueden portar listeria y deben evitarse.

Cuando compres mariscos hazlo en una tienda de buena calidad y que renueve los productos con regularidad para asegurar que están frescos. El pescado debe tener los ojos claros y brillantes, la piel brillante y las branquias de color rosa o rojo. Debe sentirse firme al tocarlo y tener un ligero olor a mar y a yodo. La piel de los filetes de carne y de pescado debe ser translúcida y no verse descolorida. Los moluscos como los ostiones y los mejillones se venden frescos y vivos. Evita comprar los que estén abiertos o que no se cierren al darles un golpecito; también deshecha los que no se abran después de la cocción. De la misma manera, los moluscos, como los berberechos o los bígaros, deben esconderse en su concha cuando se les toca ligeramente. Cuando compres cefalópodos, como el calamar y el pulpo, verifica que tengan la carne muy firme y un agradable olor a mar.

Con todos los productos marinos, ya sean mariscos o pescados, hay que tener cuidado al congelarlos. Debes verificar si ya han sido congelados antes. Si es así, entonces no debes congelarlos de nuevo, bajo ninguna circunstancia.

Nutrición: El papel de los nutrientes esenciales

Una dieta sana y bien balanceada es la principal fuente de energía del cuerpo. En los niños es construir cimientos sólidos para su salud en el futuro, así como darles mucha energía. En los adultos estimular la sanación y la regeneración del cuerpo. Una dieta bien equilibrada le proporciona al cuerpo todos los nutrientes esenciales que necesita y esto se logra consumiendo la variedad de alimentos que se muestran en la siguiente pirámide.

GRASAS

PROTEINAS
leche, yogur   carne, pescado, aves,
y queso   huevos, nueces y semillas

FRUTAS Y VERDURAS

CARBOHIDRATOS DE ALMIDÓN
cereales, papas, pan, arroz y pasta

GRASAS

Las grasas se dividen en dos categorías: las saturadas y las no saturadas. Las grasas son una parte esencial de la dieta, pues son una fuente de energía y proporcionan ácidos grasos esenciales y vitaminas liposolubles, pero es muy importante lograr un sano equilibrio. Éste debe estimular la inmunidad del cuerpo ante infecciones y mantener en buen estado a los músculos, los nervios y las arterias. Las grasas saturadas son las de origen animal y se encuentran en lácteos, carne, huevos, margarinas y manteca, así como en los productos manufacturados como pays, galletas y pasteles. Está demostrado que la ingesta alta de grasas saturadas durante muchos años aumenta el riesgo de padecimientos cardiacos y altos niveles de colesterol en la sangre y muchas veces provoca aumento de peso. Es muy importante reducir la cantidad de grasas saturadas que consumimos y ello no implica que sea bueno consumir otros tipos de grasa en grandes cantidades.

Existen dos tipos de grasas no saturadas: las poliinsaturadas y las monoinsaturadas. Las grasas poliinsaturadas incluyen aceite de cártamo, de frijol de soya, de maíz y de ajonjolí. Se ha demostrado que los aceites omega 3 que contienen las grasas poliinsaturadas son benéficos para la salud de las arterias y estimulan el desarrollo y el crecimiento cerebral. Se derivan de peces oleosos como el salmón, la caballa, el arenque y la sardina. Se recomienda la ingesta de estos peces por lo menos una vez por semana. También existen otras alternativas, como complementos de aceite de hígado. Los aceites más comunes con alto contenido de grasas monoinsaturadas son el aceite de oliva, el aceite de girasol y el aceite de cacahuate. Se sabe que las grasas monoinsaturadas también ayudan a reducir los niveles de colesterol.

PROTEINAS

Están compuestas de aminoácidos —los ladrillos de las proteínas—. Las proteínas llevan a cabo diferentes funciones vitales para el cuerpo, como proporcionar energía y formar y reparar los tejidos. El huevo, la leche, el yogur, el queso, la carne, el pescado, las aves, las nueces y las legumbres (ver el segundo nivel de la pirámide). Algunos de estos alimentos, sin embargo, contienen grasas saturadas. Para lograr un equilibrio nutricional consume grandes cantidades de alimentos con proteínas provenientes de verduras como la soya, los frijoles, las lentejas, los chícharos y las nueces.

MINERALES

CALCIO Es importante para tener dientes y huesos sanos; para la transmisión nerviosa, la contracción muscular, la coagulación sanguínea y la función hormonal. También ayuda a la salud del corazón y la piel; alivia el dolor muscular y óseo, mantiene un equilibrio ácido-alcalino y reduce los dolores menstruales. Los lácteos, los huesos pequeños de los pescados pequeños, las nueces, las legumbres, las harinas fortificadas, los panes y las verduras de hojas verdes son buenas fuentes de calcio.

CROMO Equilibra los niveles de azúcar en la sangre, ayuda a reducir los antojos, aumenta el tiempo de vida, la protección del ADN y es esencial para la función del corazón. La levadura de cerveza, el pan integral, el pan de centeno, los ostiones, las papas, los pimientos verdes, la mantequilla y las zanahorias son buenas fuentes de cromo.

YODO Es importante para la creación y el desarrollo normal de la hormona tiroides. Las fuentes de yodo son los mariscos, las algas, la leche y los productos lácteos.

HIERRO Como componente de la hemoglobina, el hierro transporta el oxígeno en el cuerpo. Es esencial para el crecimiento y el desarrollo normales. Las fuentes de hierro son el hígado, la carne de res curada, la carne roja, los cereales fortificados, las legumbres, las verduras de hoja verde, la yema de huevo, la cocoa y los productos de cocoa.

MAGNESIO Es importante para el funcionamiento correcto de las enzimas del metabolismo y el desarrollo del sistema óseo. El magnesio estimula la salud de los músculos, pues ayuda a que se relajen y por ello es bueno para el síndrome premenstrual. También es importante para los músculos cardiacos y el sistema nervioso. Las nueces, las verduras verdes, la carne, los cereales, la leche y el yogur son buenas fuentes de magnesio.

FÓSFORO Ayuda a la formación y al mantenimiento de los huesos y los dientes, del tejido muscular, a mantener el pH del cuerpo; ayuda al metabolismo y a la producción de energía. El fósforo está presente en casi todos los alimentos.

POTASIO Permite el procesamiento de los nutrientes, promueve nervios y músculos sanos, mantiene un equilibrio en los fluidos, ayuda a la secreción de la insulina para el control del azúcar en la sangre, relaja los músculos, ayuda al funcionamiento del corazón y estimula el movimiento intestinal. La fruta, las verduras, la leche y el pan son buenas fuentes de potasio.

SELENIO Sus propiedades antioxidantes ayudan a proteger contra los radicales libres y los agentes cancerígenos. Reduce la inflamación, estimula el sistema nervioso, fomenta la salud cardiaca y ayuda a la acción de la vitamina E. Es necesario para el sistema reproductor masculino y para el metabolismo. Las fuentes de selenio son el atún, el hígado, la carne, los huevos, los cereales, las nueces y los productos lácteos.

SODIO Es importante en el control del fluido del cuerpo, previene la deshidratación. Participa en la función muscular y nerviosa y ayuda a transportar los nutrientes a las células. Todos los alimentos son buenas fuentes de sodio. Los alimentos procesados, en salmuera o curados, son los que contienen mayor cantidad de sodio, pero deben consumirse con moderación.

ZINC Es importante para el metabolismo y la cicatrización de heridas; ayuda a la capacidad para manejar el estrés, a tener un sistema nervioso y cerebro sanos, en especial durante el crecimiento fetal; estimula la formación de los dientes y los huesos y es esencial para la energía. Las fuentes de zinc son el hígado, la carne, las legumbres, los cereales integrales, las nueces y los ostiones.

VITAMINAS

BIOTINA Es importante para el metabolismo de los ácidos grasos. Las fuentes de biotina son el hígado, el riñón, los huevos y las nueces.

ÁCIDO FÓLICO Es esencial durante el embarazo para el desarrollo del cerebro y los nervios. Siempre es necesario para las funciones cerebrales y nerviosas, y para el aprovechamiento de las proteínas y la formación de glóbulos rojos. Las fuentes de ácido fólico son cereales integrales, cereales fortificados, verduras de hojas verdes, naranjas e hígado.

VITAMINA A Es importante para el crecimiento y desarrollo celular y para la formación de los pigmentos visuales en el ojo. La vitamina A tiene dos formas: retinol y beta-caroteno. El retinol se encuentra en el hígado, la carne y la leche entera. El beta-caroteno es un poderoso antioxidante y se encuentra en frutas y verduras rojas y amarillas, como zanahorias, mangos y duraznos.

VITAMINA B$_1$ Es importante para liberar energía de los alimentos que contienen carbohidratos. La levadura y sus productos son buenas fuentes de vitamina B$_1$, así como el pan, los cereales fortificados y las papas.

VITAMINA B$_2$ Es importante para el metabolismo de las proteínas, grasas y carbohidratos para producir energía. Las fuentes de vitamina B$_2$ son carne, extractos de levadura, cereales fortificados, leche y sus derivados.

VITAMINA B$_3$ Es necesaria para convertir los alimentos en energía. La leche, los cereales fortificados, las legumbres, la carne, las aves y los huevos son buenas fuentes de vitamina B$_3$.

VITAMINA B$_5$ Es importante para el metabolismo de los alimentos y la producción de energía. Todos los alimentos son buenas fuentes de vitamina B$_5$, en especial los cereales fortificados, el pan integral y los productos lácteos.

VITAMINA B$_6$ Es importante para el metabolismo de las proteínas y las grasas. También participa en la regulación de las hormonas sexuales. El hígado, el pescado, el cerdo, los frijoles de soya y los cacahuates son buenas fuentes.

VITAMINA B$_{12}$ Es importante para la producción de los glóbulos rojos y el ADN. Es esencial para el crecimiento y para el sistema nervioso. La carne, el pescado, los huevos, las aves y la leche son buenas fuentes de vitamina B$_{12}$.

VITAMINA C Es importante para sanar las heridas y para la formación de colágeno, que mantiene fuertes a la piel y a los huesos. Es un antioxidante importante. Las frutas son una buena fuente de vitamina C, en especial las frutas de verano (fresas, zarzamoras, etcétera) y las verduras.

VITAMINA D Es importante para la absorción del calcio y su aprovechamiento para ayudar a fortalecer los huesos. Son buenas fuentes de vitamina D los pescados oleosos, la leche entera y sus derivados, la margarina y, desde luego, la exposición a la luz solar, pues la vitamina D se produce en la piel.

VITAMINA E Es una importante vitamina antioxidante que ayuda a proteger las membranas celulares contra el daño y el envejecimiento. Los aceites vegetales son buenas fuentes de vitamina E, así como la margarina, las semillas, las nueces y las verduras verdes.

VITAMINA K Es importante para controlar la coagulación de la sangre. Son buena fuente de vitamina K la coliflor, las coles de Bruselas, la lechuga, la col, los frijoles, el brócoli, los chícharos, los espárragos, las papas, el aceite de maíz, los jitomates y la leche.

CARBOHIDRATOS

Los carbohidratos son una fuente de energía y son de dos tipos: almidones y azúcares. Los carbohidratos de almidón también se conocen como carbohidratos complejos e incluyen todos los cereales, las papas, el pan, el arroz y la pasta. El consumo de las variedades integrales de estos productos también aportan fibra. Se cree que las dietas ricas en fibra ayudan a prevenir el cáncer intestinal y mantienen bajo el nivel de colesterol. Los carbohidratos de azúcar —también llamados de absorción rápida porque aportan una dosis rápida de energía— incluyen azúcar y productos endulzados con azúcar. Otros tipos de azúcar son la lactosa (proviene de la leche) y la fructosa (de las frutas).

Sopas y ensaladas

Acompañada de pan crujiente o crutones, la sopa es una comida deliciosa que siempre te deja satisfecho. Prueba la Sopa italiana de frijoles para una cena rápida entre semana o dale un nuevo toque a una de las favoritas, la Sopa de papa, puerro y romero. Las ensaladas son una delicia para los ojos, así como para el paladar: la Ensalada caliente de noodles con aderezo de ajonjolí y cacahuate es ideal para un día frío de invierno, mientras que la Ensalada de trigo bulgur con aderezo de menta y limón es un platillo perfecto para el verano.

Sopa de jitomate con albahaca

1 Precalentar el horno a 200°C/400°F. En una charola grande para hornear repartir uniformemente y en una sola capa los jitomates y el ajo sin pelar.

2 Mezclar el aceite con el vinagre. Bañar sobre los jitomates, espolvorear con el azúcar morena.

3 Hornear los jitomates durante 20 minutos, hasta que estén suaves y ligeramente chamuscados en algunas áreas.

4 Retirar del horno, dejar enfriar un poco. Cuando se puedan manipular, sacar la pulpa suavizada de los ajos. Poner en un colador de nailon junto con los jitomates chamuscados sobre una cacerola.

5 Con el dorso de una cuchara de madera presionar los ajos y los jitomates contra el colador.

6 Después de colar toda la pulpa de los jitomates y ajos, agregar el puré de jitomate y el caldo de verduras. Calentar ligeramente, revolviendo ocasionalmente.

7 En un tazón pequeño batir el yogur y la albahaca, sazonar al gusto con sal y pimienta. Incorporar a la sopa. Decorar con las hojas de albahaca y servir de inmediato.

Ingredientes   PORCIONES 4

1.1kg/ 2 ½ lb de jitomates maduros, cortados a la mitad
2 dientes de ajo
1 cucharadita de aceite de oliva
1 cucharada de vinagre balsámico
1 cucharada de azúcar morena
1 cucharada de puré de jitomate
300ml de caldo de verduras
6 cucharadas de yogur natural, bajo en grasa
2 cucharadas de albahaca, recién picada
Sal y pimienta negra recién molida
Hojas pequeñas de albahaca, para decorar

Consejo

Usa la variedad más dulce de jitomates que encuentres, pues le dan un gran toque de sabor a la sopa. En muchos supermercados venden variedades de jitomates gourmet de cultivo lento y más tiempo de maduración en el tallo para darles un sabor más intenso. Si no encuentras esta variedad añade un poco de azúcar extra para resaltar el sabor.

Sopa de chirivías

1 En una sartén pequeña asar en seco el comino y las semillas de cilantro a fuego moderadamente alto de 1 a 2 minutos. Agitar la cacerola durante la cocción hasta que las semillas estén ligeramente tostadas. Reservar hasta que se enfríen. Moler las semillas tostadas en un mortero.

2 En una cacerola calentar el aceite. Freír la cebolla hasta que esté suave y comience a tomar un color dorado.

3 Agregar el ajo, la cúrcuma, el chile en polvo, las semillas molidas y la canela. Continuar la cocción durante 1 minuto más.

4 Añadir las chirivías y revolver bien. Verter el caldo, dejar que suelte el hervor. Tapar y cocinar a fuego lento durante 15 minutos o hasta que las chirivías estén cocidas.

5 Dejar que la sopa se enfríe. Cuando esté fría retirar la canela y desechar.

6 Licuar la sopa en un procesador de alimentos hasta que esté muy tersa.

7 Pasar a una cacerola y calentar ligeramente. Sazonar al gusto con sal y pimienta. Servir de inmediato con el yogur y decorar con el cilantro fresco.

Ingredientes PORCIONES 4

1 cucharadita de semillas de comino
2 cucharaditas de semillas de cilantro
1 cucharadita de aceite
1 cebolla picada
1 diente de ajo, pelado, machacado
½ cucharadita de cúrcuma
   (condimento similar al azafrán y al jengibre)
¼ cucharadita de chile en polvo
1 ramita de canela
450g/ 1 lb de chirivías, peladas, picadas (raíz parecida a la zanahoria)
1 litro de caldo de verduras
Sal y pimienta recién molida
2–3 cucharadas de yogur natural, bajo en grasa, para servir
Hojas de cilantro fresco, para decorar

Dato culinario

Las chirivías varían de color pálido a blanco cremoso. Están en su mejor momento cuando alcanzan el tamaño de una zanahoria grande. Si son más grandes retira el centro que puede estar un poco duro.

Sopa de papa, puerro y romero

1 En una cacerola grande derretir la mantequilla, agregar los puerros y cocer ligeramente durante 5 minutos, revolviendo frecuentemente. Retirar 1 cucharada de los puerros cocidos, reservar para decorar.

2 Agregar las papas, el caldo de verduras, las ramitas de romero y la leche. Dejar que suelte el hervor, reducir el fuego, tapar y cocinar a fuego lento de 20 a 25 minutos o hasta que las verduras estén suaves.

3 Dejar enfriar durante 10 minutos. Desechar el romero. Verter la sopa a un procesador de alimentos, licuar hasta que la textura sea suave.

4 Regresar la sopa a la cacerola limpia, incorporar el perejil picado y la crème fraîche. Sazonar al gusto con sal y pimienta. Si la sopa está demasiado espesa incorporar un poco más de leche o agua. Recalentar ligeramente sin dejar que hierva, transferir a tazones calientes para servir. Decorar con los puerros reservados, servir de inmediato con los rollos de harina integral.

Ingredientes   PORCIONES 4

50g/ 2 oz de mantequilla
450g/ 1 lb de puerros, recortados, finamente rebanados
700ml/ 1 ½ lb de papas, peladas, picadas grueso
900ml de caldo de verduras
4 ramitas de romero fresco
450ml de leche entera
2 cucharadas de perejil, recién picado
2 cucharadas de crème fraîche (crema fresca)
Sal y pimienta negra recién molida
Rollos de harina integral

Dato culinario

Esta versión de vichyssoise con sabor a romero también es deliciosa fría. Deja enfriar la sopa dos horas en el refrigerador. La sopa espesará mientras más se enfríe, así que necesitarás leche o caldo para "aligerarla". Es importante usar romero fresco.

Crema de calabaza de Castilla

1 Quitar la cáscara de la calabaza, quitar las semillas y cortarla en cubos de 2.5cm. En una cacerola grande calentar el aceite de oliva, cocer la calabaza de 2 a 3 minutos, bañándola completamente con el aceite. Picar la cebolla y el puerro finamente, cortar la zanahoria y el apio en cubos pequeños.

2 Agregar las verduras a la cacerola junto con el ajo, cocer revolviendo durante 5 minutos, o hasta que comiencen a suavizarse. Cubrir las verduras con el agua, dejar que suelte el hervor. Sazonar con suficiente sal, pimienta y nuez moscada; tapar, cocinar a fuego lento de 15 a 20 minutos o hasta que todas las verduras estén cocidas.

3 Cuando las verduras estén suaves, retirar la cacerola del fuego, dejar enfriar un poco y pasar a un procesador de alimentos o licuadora. Licuar hasta obtener un puré suave, pasarlo por un colador sobre una cacerola limpia.

4 Ajustar la sazón al gusto, añadir la crema, excepto 2 cucharadas, y agua suficiente para obtener la consistencia adecuada. Dejar que llegue a ebullición, agregar la pimienta de Cayena, repartir en tazones individuales, añadir la crema y servir de inmediato con pan de hierbas caliente.

Ingredientes   PORCIONES 4

900g/ 2 lb de calabaza de Castilla, pelada, sin semillas
4 cucharadas de aceite de oliva
1 cebolla grande, pelada
1 puerro, picado
1 zanahoria, pelada
2 tallos de apio
4 dientes de ajo, pelados, machacados
1.7 litros de agua
Sal y pimienta negra, recién molida
¼ cucharadita de nuez moscada, recién molida
150ml de crema baja en calorías
¼ cucharadita de pimienta de Cayena
Pan de hierbas caliente

Dato culinario

Si no encuentras calabaza de Castilla puedes reemplazarla con calabacita italiana. También puedes sustituirla por calabaza amarilla (o butternut), bellota o turbante. Evita usar la calabaza cabello de ángel pues no se conserva firme al cocinarla.

Chowder de atún

1 En una cacerola grande de base gruesa calentar el aceite.
   Agregar la cebolla y el apio, freír ligeramente durante
   5 minutos, revolviendo de vez en cuando hasta que la cebolla
   esté suave.

2 Incorporar la harina y cocer durante 1 minuto para que
   espese.

3 Retirar la cacerola del fuego, verter poco a poco la leche,
   revolviendo constantemente.

4 Agregar el atún con el líquido, los granos de elote colados y
   el tomillo.

5 Mezclar un poco, dejar que suelte el hervor. Tapar y cocinar a
   fuego lento durante 5 minutos.

6 Retirar la cacerola del fuego, sazonar al gusto con sal y
   pimienta.

7 Espolvorear el chowder con la pimienta de Cayena y el perejil
   picado. Repartir la sopa en tazones y servir de inmediato.

Ingredientes   PORCIONES 4

2 cucharaditas de aceite de oliva
1 cebolla, pelada, finamente picada
2 tallos de apio, finamente
   rebanados
1 cucharada de harina común
600ml de leche descremada
200g/ 7 oz de atún de lata, en agua
320g/ 11 oz de granos de elote
   dulce, de lata, en agua, colados
2 cucharaditas de tomillo, recién
   picado
Sal y pimienta negra, recién molida
Pizca de pimienta de Cayena
2 cucharadas de perejil, recién
   picado

Consejo

Esta sopa cremosa también puede
prepararse con carne de cangrejo de
lata en lugar del atún. Para darle un
sabor contrastante y aumentar la
delicada consistencia cremosa de la
sopa coloca encima una cucharada de
crème fraîche (crema fresca) baja en
grasa. Espolvorea la pimienta de
Cayena y decora con unas cuantas
hojas largas de cebollín.

Sopa italiana de frijoles

1 En una cacerola grande calentar el aceite. Agregar el puerro, el ajo y el orégano, freír ligeramente durante 5 minutos, revolviendo ocasionalmente.

2 Añadir los ejotes y los frijoles cannellini. Agregar la pasta y verter el caldo.

3 Dejar que la mezcla del caldo suelte el hervor, reducir a fuego lento.

4 Cocer de 12 a 15 minutos o hasta que las verduras estén suaves y la pasta esté cocida "al dente". Revolver ocasionalmente.

5 En una sartén grande de base gruesa freír los jitomates a fuego alto hasta que estén suaves y la piel comience a chamuscarse.

6 Con el dorso de una cuchara machacar los jitomates en la sartén, añadir a la sopa.

7 Sazonar al gusto con sal y pimienta. Incorporar la albahaca picada y servir de inmediato.

Ingredientes PORCIONES 4

2 cucharaditas de aceite de oliva
1 puerro, lavado, picado
1 diente de ajo, pelado, machacado
2 cucharaditas de orégano seco
75g/ 3 oz de ejotes, cortados en trozos medianos
410g/ 14 oz de frijoles cannellini, colados, enjuagados (frijol claro)
75g/ 3 oz de pasta corta
1 litro de caldo de verduras
8 jitomates cherry
Sal y pimienta negra, recién molida
3 cucharadas de albahaca, recién picada

Consejo

El sabor de esta sopa es todavía mejor al día siguiente de haberla hecho. Prepárala con un día de anticipación y añade un poco de caldo extra cuando la recalientes.

Sopa de zanahoria y jengibre

1 Precalentar el horno a 180°C/350°F. Picar grueso el pan, disolver el extracto de levadura en 2 cucharadas de agua caliente y mezclar con el pan.

2 Barnizar ligeramente con aceite una charola para horno, esparcir el pan y hornear durante 20 minutos, voltear a la mitad de la cocción. Retirar del horno y reservar.

3 En una cacerola grande calentar el aceite. Freír ligeramente la cebolla y el ajo de 3 a 4 minutos.

4 Añadir el jengibre molido, freír durante 1 minuto para que suelte el sabor.

5 Agregar las zanahorias picadas, incorporar el caldo y el jengibre fresco. Cocinar a fuego lento durante 15 minutos.

6 Retirar del fuego, dejar enfriar un poco. Licuar hasta obtener una consistencia suave, sazonar al gusto con sal y pimienta. Incorporar el jugo de limón. Decorar con el cebollín, la cáscara de limón y los cubos de pan reservados. Servir de inmediato.

Ingredientes   PORCIONES 4

4 rebanadas de pan, sin costras
1 cucharadita de extracto de levadura
2 cucharaditas de aceite de oliva
1 cebolla, picada
1 diente de ajo, pelado, machacado
½ cucharadita de jengibre, molido
450g/ 1 lb de zanahorias, peladas, picadas
1 litro de caldo de verduras
Raíz de jengibre fresco, de 2.5cm, pelada, finamente rallada
Sal y pimienta fresca, recién molida
1 cucharada de jugo de limón amarillo

Para decorar:

Cebollín
Tiras finas de cáscara de limón amarillo

Consejo

Esta deliciosa sopa es excelente para servirla en ocasiones especiales con una cucharada de crema ligeramente batida o con crème fraîche baja en grasa.

Ensalada china con aderezo de soya y jengibre

1 Lavar y picar en tiras finas la col china, colocar en un platón para servir.

2 Cortar las castañas de agua en rebanadas finas. Cortar diagonalmente las cebollas de cambray en trozos de 2.5cm, cortarlas a lo largo en tiras finas.

3 Cortar los jitomates en mitades, rebanar cada mitad en 3 gajos y reservar.

4 Colocar los chícharos chinos en agua hirviendo durante 2 minutos, hasta que comiencen a suavizarse, colar y cortar en mitades diagonalmente.

5 Sobre la col china picada acomodar las castañas de agua, las cebollas de cambray, los jitomates, los chícharos chinos y el germen de soya. Decorar con cilantro recién picado.

6 Para hacer el aderezo, en un tazón pequeño batir todos los ingredientes hasta que estén bien integrados. Servir con el pan y la ensalada.

Ingredientes   PORCIONES 4

1 cabeza de col china
200g/ 7 oz de castañas de agua, de lata, coladas
6 cebollas de cambray
4 jitomates cherry maduros, firmes
125g/ 4 oz de chícharos chinos
125g/ 4 oz de germen de soya
2 cucharadas de cilantro, recién picado

Para el aderezo de soya y jengibre:

2 cucharadas de aceite de girasol
4 cucharadas de salsa de soya clara
Raíz de jengibre fresco, de 2.5cm, pelada, finamente rallada
Jugo y ralladura de 1 limón amarillo
Sal y pimienta negra, recién molida
Pan crujiente

Ensalada caliente de noodles con aderezo de ajonjolí y cacahuate

1 En un procesador de alimentos colocar la crema de cacahuate, 4 cucharadas del aceite de ajonjolí, la salsa de soya, el vinagre y el jengibre. Licuar hasta que la mezcla esté suave, incorporar 75ml/ 3 fl oz de agua caliente, licuar de nuevo. Verter la crema, licuar brevemente hasta que esté suave. Pasar el aderezo a un recipiente para servirlo y reservar.

2 En una cacerola colocar agua ligeramente salada y dejar que suelte el hervor, agregar los noodles y el germen de soya, cocer durante 4 minutos o siguiendo las instrucciones del paquete. Colar, enjuagar bajo el chorro de agua fría y colar de nuevo. Incorporar el resto del aceite de ajonjolí y mantener caliente.

3 En otra cacerola colocar agua ligeramente salada y dejar que suelte el hervor, añadir los elotes baby, las zanahorias y los chícharos chinos, cocer de 3 a 4 minutos o hasta que estén suaves y crujientes. Colar, cortar los chícharos chinos a la mitad. Si son muy grandes cortar los elotes baby en 2 o 3 piezas y acomodar en un platón caliente para servir junto con los noodles. Añadir las tiras de pepino y las cebollas de cambray. Bañar con un poco del aderezo y servir de inmediato con el resto del aderezo.

Ingredientes   PORCIONES 4-6

Para el aderezo:
125g/ 4 oz de crema de cacahuate, suave
6 cucharadas de aceite de ajonjolí
3 cucharadas de salsa de soya clara
2 cucharadas de vinagre de vino tinto
1 cucharada de raíz de jengibre, recién rallada
2 cucharadas de crema para batir
250g/ 9 oz de noodles chinos, de huevo, finos
125g/ 4 oz de germen de soya
225g/ 8 oz de elotes baby
125g/ 4 oz de zanahorias, peladas, cortadas en juliana
125g/ 4 oz de chícharos chinos
125g/ 4 oz de pepinos, cortados en tiras finas
3 cebollas de cambray, finamente ralladas

Ensalada de trigo bulgur con aderezo de menta y limón

1 En una cacerola colocar el trigo bulgur, cubrir con agua hirviendo.

2 Cocinar a fuego lento durante 10 minutos aproximadamente, colar bien y pasar a un recipiente para servir.

3 Cortar el pepino en cuadritos pequeños, picar finamente los chalotes y reservar. Sobre una cacerola con agua hirviendo cocer al vapor los elotes baby durante 10 minutos o hasta que estén suaves. Colar, cortar en trozos medianos.

4 Cortar una cruz en la parte superior de cada jitomate, sumergirlos en agua hirviendo hasta que comience a despegarse la piel.

5 Retirar la piel y las semillas, cortar la pulpa de los jitomates en cubitos pequeños.

6 Para hacer el aderezo, en un tazón pequeño batir vigorosamente todos los ingredientes hasta que estén bien mezclados.

7 Cuando el trigo bulgur esté un poco frío agregar las verduras preparadas e incorporar el aderezo. Sazonar al gusto con sal y pimienta, servir.

Ingredientes   PORCIONES 4

125g/ 4 oz de trigo bulgur
10cm de pepino
2 chalotes, pelados
125g/ 4 oz de elotes baby
3 jitomates maduros, firmes

Para el aderezo:

Ralladura de 1 limón amarillo
3 cucharadas de jugo de limón
    amarillo
2 cucharadas de menta, recién
    picada
2 cucharadas de perejil, recién
    picado
1–2 cucharaditas de miel clara
2 cucharadas de aceite de girasol
Sal y pimienta negra, recién molida

Dato culinario

Este platillo está ligeramente basado en el tabule del Medio Oriente, que es un tipo de ensalada en la que todos los ingredientes se mezclan y se sirven fríos.

Ensalada mixta con aderezo de anchoas y crutones de pan chapata

1   Separar la endibia y la chicoria en hojas, reservar algunas de las más grandes. Acomodar las hojas más pequeñas en un platón para ensalada.

2   Cortar a la mitad el bulbo de hinojo a lo largo y luego a lo ancho en rebanadas finas. Cortar las alcachofas en cuartos, cortar el pepino en cuartos y rebanar, cortar los jitomates a la mitad. Colocar en el tazón para ensalada junto con las aceitunas.

3   Para hacer el aderezo, colar las anchoas y ponerlas en la licuadora junto con la mostaza, el ajo, el aceite de oliva, el jugo de limón, 2 cucharadas de agua caliente y la pimienta negra. Licuar hasta que la mezcla esté suave y espesa.

4   Para hacer los crutones, cortar el pan en cubos de 1cm. En una sartén calentar el aceite, añadir los cubos de pan, freír durante 3 minutos, volteando frecuentemente, hasta que estén dorados. Retirar y dejar escurrir sobre papel absorbente.

5   Bañar la ensalada preparada con la mitad de las anchoas, revolver para cubrir. Acomodar las hojas reservadas de endibia y de achicoria alrededor de la ensalada, bañar con el resto del aderezo. Esparcir encima los crutones y servir de inmediato.

Ingredientes   PORCIONES 4

1 cabeza de endibia, pequeña
1 cabeza de achicoria (vegetal de hojas anchas o delgadas parecida a la lechuga)
1 bulbo de hinojo
400g/ 14 oz de alcachofas, de lata, coladas, enjuagadas
½ pepino
125g/ 4 oz de jitomates cherry
75g/ 3 oz de aceitunas negras

Para el aderezo de anchoas:

50g/ 2 oz de filetes de anchoa
1 cucharadita de mostaza de Dijon
1 diente de ajo, pequeño, pelado, machacado
4 cucharadas de aceite de oliva
1 cucharada de jugo de limón amarillo
Pimienta negra, recién molida

Para los crutones de pan chapata:

2 rebanadas gruesas de pan chapata
2 cucharadas de aceite de oliva

Tortellini con ensalada de verduras de verano

1 En una cacerola grande colocar agua ligeramente salada y dejar que suelte el hervor a fuego alto. Añadir el tortellini y cocer siguiendo las instrucciones del paquete o hasta que esté "al dente".

2 Con una cuchara coladora grande pasar el tortellini a un colador para escurrir. Enjuagar bajo el chorro de agua fría, colar de nuevo. Pasar a un tazón grande y revolver con 2 cucharadas del aceite de oliva.

3 Poner de nuevo el agua de cocción de la pasta a hervir; añadir los ejotes y el brócoli, blanquear durante 2 minutos o hasta que comiencen a suavizarse. Enjuagar bajo el chorro de agua fría, colar bien. Agregar las verduras al tortellini reservado.

4 Añadir al tazón el pimiento, la cebolla, los corazones de alcachofa, las alcaparras y las aceitunas, revolver ligeramente.

5 Para el aderezo, en un tazón batir el vinagre, la mostaza y el azúcar morena, sazonar al gusto con sal y pimienta. Incorporar lentamente el resto del aceite para formar un aderezo espeso y cremoso. Verter sobre el tortellini y las verduras, añadir la albahaca o el perejil picado, revolver bien. Pasar a un recipiente para servir o a un tazón para ensaladas. Decorar con los cuartos de huevo duro y servir.

Ingredientes PORCIONES 6

350g/ 12 oz de mezcla de tortellini verde y sin color, frescos, rellenos de queso
150ml de aceite de oliva extra virgen
225g/ 8 oz de ejotes cortados en trozos medianos
175g/ 6 oz de racimos de brócoli
1 pimiento amarillo o rojo, sin semillas, finamente rebanado
1 cebolla morada, rebanada
175g/ 6 oz de corazones de alcachofa, de lata, colados, en mitades
2 cucharadas de alcaparras
75g/3 oz de aceitunas negras curadas, sin hueso

Para el aderezo:

3 cucharadas de vinagre de frambuesa o balsámico
1 cucharada de mostaza de Dijon
1 cucharadita de azúcar morena
Sal y pimienta negra, recién molida
2 cucharadas de albahaca o perejil de hoja lisa, recién picado
2 huevos duros, cortados en cuartos, para decorar

Nuestra sugerencia

Puedes sustituir las aceitunas negras curadas por aceitunas pequeñas ordinarias.

Panzanella

1 Cortar el pan en rebanadas gruesas, dejar la costra. En una jarra de agua con hielo añadir 1 cucharadita del vinagre de vino tinto, en un tazón colocar las rebanadas de pan y verter el agua encima. Verificar que el pan esté totalmente cubierto. Dejar remojar de 3 a 4 minutos hasta que apenas esté suave.

2 Retirar el pan remojado del agua, exprimirlo ligeramente, primero con las manos y después con un paño limpio para retirar el exceso de agua. Colocar el pan en un plato, cubrir con plástico adherente y refrigerar durante 1 hora.

3 Mientras, en un tazón grande para servir mezclar el aceite de oliva, el resto del vinagre de vino tinto y el jugo de limón. Agregar el ajo y la cebolla, revolver bien para cubrir.

4 Cortar el pepino a la mitad, retirar las semillas. Picar el pepino y los jitomates en cubitos de 1cm. Añadir al ajo y la cebolla junto con las aceitunas. Romper el pan en trozos medianos, añadir al tazón junto con las hojas de albahaca fresca. Revolver para mezclar y servir de inmediato, sazonar con sal de mar y pimienta negra molidas.

Ingredientes   PORCIONES 4

250g/ 9 oz de pan estilo italiano, del día anterior
1 cucharada de vinagre de vino tinto
4 cucharadas de aceite de oliva
1 cucharadita de jugo de limón amarillo
1 diente de ajo, pequeño, pelado, finamente picado
1 cebolla morada, finamente rebanada
1 pepino, pelado (o al gusto)
225g/ 8 oz de jitomates maduros, sin semillas
150g/ 5 oz de aceitunas negras, sin hueso
20 hojas de albahaca, rotas o enteras si son pequeñas
Sal de mar y pimienta negra, recién molida

Consejo

Para esta ensalada típica de la Toscana usa un pan estilo italiano como la chapata. Busca en las tiendas de *delicatessen* diferentes tipos de aceitunas marinadas. Prueba con chile y ajo o albahaca, ajo y naranja.

Algo ligero

Perfecta para una cena entre semana con los amigos o cuando simplemente no se te antoja comer una cena sustanciosa, esta selección de platillos tiene mucho sabor sin dejarte una sensación de pesadez. Los Panecillos de camote son excelentes para un rápido tentempié, mientras que las Tortitas de elote con aderezo picante son algo deliciosamente diferente.

Panecillos de camote

1. Precalentar el horno a 200°C/ 400°F 15 minutos antes de hornear. Pelar el camote y cortar en trozos grandes. En una cacerola con agua hirviendo cocer el camote de 12 a 15 minutos o hasta que esté suave. Colar bien y machacar junto con la mantequilla y la nuez moscada. Incorporar la leche y reservar hasta que esté apenas caliente.

2. En un tazón grande cernir la harina y la sal, incorporar la levadura. Hacer un pozo en el centro. Añadir el camote machacado y el huevo batido, mezclar hasta obtener una masa tersa. Agregar más leche si es necesario, dependiendo de la humedad del camote.

3. Colocar la masa sobre una superficie ligeramente enharinada y amasar durante 10 minutos o hasta que esté suave y elástica. Colocar en un tazón ligeramente engrasado, cubrir con plástico adherente y dejar que suba en un lugar tibio durante 1 hora o hasta que doble su tamaño. Retirar del tazón y amasar durante 1 o 2 minutos, hasta que esté suave. Dividir en 16 porciones, formar pelotitas y colocarlas sobre una charola engrasada para horno. Cubrir con plástico adherente engrasado y dejar que suban durante 15 minutos.

4. Barnizar los panecillos con el huevo batido, espolvorear los copos de avena sobre la mitad de los panecillos.

5. Hornear de 12 a 15 minutos o hasta que hayan subido bien, estén ligeramente dorados y suenen huecos al darles golpecitos en la base. Colocar en una rejilla y tapar de inmediato con un paño limpio para mantener crujientes las costras.

Ingredientes   PORCIONES 16

225g/ 8 oz de camote
15g/ ½ oz de mantequilla
Nuez moscada, recién molida
200ml/ 7 fl oz de leche, aproximadamente
450g/ 1 lb de harina
2 cucharaditas de sal
7g/ 1/4 oz de levadura seca
1 huevo mediano, batido

Para el acabado:

Huevo batido, para glasear
1 cucharada de copos de avena

Nuestra sugerencia

Existen muchas variedades de camote, así que asegúrate de elegir el correcto para esta receta porque cambian los sabores y las texturas. El camote usado en esta receta tiene la piel oscura y la pulpa de color naranja brillante que al cocerse tiene una textura húmeda..

Cáscaras de papa

1 Precalentar el horno a 200°C/ 400°F. Lavar las papas, con un tenedor o una brocheta perforarlas unas cuantas veces, colocarlas directamente en la parte superior del horno. Hornear durante 1 hora por lo menos, o hasta que estén suaves. Las papas están cocidas cuando ceden ligeramente al presionarlas con la mano.

2 Reservar las papas para que se enfríen, cortar a la mitad, sacar la pulpa y colocarla en un tazón, reservar. Precalentar la parrilla y forrar la charola con papel aluminio.

3 Mezclar el aceite y la paprika, usar la mitad de la mezcla para barnizar la parte exterior de la cáscara de las papas. Colocar sobre la charola forrada y bajo el grill precalentado, hornear durante 5 minutos o hasta que estén crujientes, voltear cuando sea necesario.

4 Calentar el resto del aceite con paprika, freír ligeramente el tocino hasta que esté crujiente. Añadir a la pulpa de las papas junto con la crema, el queso gorgonzola y el perejil. Cortar las cáscaras de papa a la mitad, rellenar con la mezcla del gorgonzola. Devolver al horno y hornear durante 15 minutos para calentar bien. Espolvorear encima un poco más de paprika y servir de inmediato con mayonesa, salsa de chile dulce y ensalada verde.

Ingredientes PORCIONES 4

4 papas para hornear, grandes
2 cucharadas de aceite de oliva
2 cucharaditas de paprika
125g/ 4 oz de tocino, picado grueso
6 cucharadas de crema para batir
125g/ 4 oz de queso gorgonzola
1 cucharada de perejil, recién picado

Para acompañar:

Mayonesa, baja en calorías
Salsa de chile dulce, para remojar
Ensalada de hojas verdes

Dato culinario

El queso gorgonzola es muy conocido en Italia, se preparó por primera vez hace aproximadamente 1100 años en el pueblo del mismo nombre, cerca de Milán. Ahora casi todo se produce en Lombardía y se hace de leche de vaca pasteurizada y se deja madurar durante 3 meses por lo menos, lo cual le da un rico sabor que no domina sobre los demás. A diferencia de la mayoría de los quesos azules, el gorgonzola debe tener una mayor cantidad de vetas hacia el centro.

Ensalada caliente de papas, peras y nueces

1 Frotar las papitas, cocerlas en una cacerola con agua y un poco de sal durante 15 minutos o hasta que estén suaves. Cortarlas por la mitad, o en cuartos si son grandes, y colocarlas en un platón para servir.

2 En un tazón pequeño o jarra con tapa revolver la mostaza con el vinagre. Gradualmente añadir los aceites hasta que la mezcla comience a espesarse. Incorporar las semillas de amapola y sazonar al gusto con sal y pimienta.

3 Verter dos tercios del aderezo sobre las papitas calientes y revolver ligeramente para cubrirlas. Dejar reposar hasta que las papitas absorban el aderezo y estén apenas calientes.

4 Mientras, cortar las peras en cuartos y quitarles el centro. Cortar en rebanadas finas y untarles el jugo de limón para evitar que se oxiden. Añadir a las papas junto con las hojas de espinacas y las nueces. Revolver un poco.

5 Bañar la ensalada con el resto del aderezo. Servir de inmediato antes de que las espinacas comiencen a marchitarse.

Ingredientes   PORCIONES 4

900g/ 2 lb de papitas cambray, de preferencia rojas, sin pelar
Sal y pimienta negra, recién molida
1 cucharadita de mostaza de Dijon
2 cucharaditas de vinagre de vino blanco
3 cucharadas de aceite de cacahuate
1 cucharada de aceite de avellana o de nuez
2 cucharaditas de semillas de amapola
2 peras firmes
2 cucharaditas de jugo de limón amarillo
175g/ 6 oz de hojas de espinacas baby
75g/ 3 oz de nueces pecanas, tostadas

Un buen consejo

Para tostar las nueces pecanas, esparcirlas sobre una charola y hornear a 180°C/ 350°F durante 5 minutos o bajo el grill a intensidad media de 3 a 4 minutos, volteando con frecuencia. Vigílalas porque se queman con facilidad. Si no consigues papitas cambray rojas para este platillo añade color usando peras rojas.

Langostinos tigre con jamón de Parma

1 Precalentar el horno a 180°C/ 350°F. Rebanar finamente el pepino y los jitomates, acomodar en 4 platos grandes y reservar. Pelar los langostinos, dejar la cola intacta, y retirar la vena oscura de la parte superior.

2 En un tazón pequeño batir 4 cucharadas del aceite de oliva, el ajo y el perejil picado, sazonar al gusto con suficiente sal y pimienta. Agregar los langostinos a la mezcla, revolver para bañarlos bien. Retirar los langostinos, envolver cada uno en una pieza de jamón de Parma, asegurar con un palillo.

3 Colocar los langostinos preparados en una charola o recipiente para horno ligeramente engrasado o junto con las rebanadas de pan, hornear durante 5 minutos.

4 Retirar los langostinos del horno, bañarlos con el vino y volver a hornear durante 10 minutos, hasta que estén muy calientes.

5 Quitar con cuidado los palillos, acomodar 3 langostinos en cada rebanada de pan. Colocar encima del pepino y los jitomates, servir de inmediato.

Ingredientes   PORCIONES 4

½ pepino, pelado (o al gusto)
4 jitomates maduros
12 langostinos tigre, crudos
6 cucharadas de aceite de oliva
4 dientes de ajo, pelados, machacados
4 cucharadas de perejil, recién picado
Sal y pimienta negra, recién molida
6 rebanadas de jamón de Parma, cortadas a la mitad
4 rebanadas de pan italiano plano
4 cucharadas de vino blanco seco

Nuestra sugerencia

La vena intestinal de los langostinos se extrae para evitar que dé un sabor amargo. Retira la cáscara y, con un cuchillo filoso, haz un corte a lo largo del centro de la parte superior del langostino, abre la carne; con la punta del cuchillo retira la vena que está a lo largo del cuerpo del langostino y deséchala.

Tarta de pescado

1 Precalentar el horno a 220°C/ 425°F. Sobre una superficie ligeramente enharinada extender la pasta hasta obtener un rectángulo de 20.5 x 25.5cm.

2 Con cuidado de no cortar, marcar un rectángulo de 18 x 23cm en el centro de la pasta, el borde debe quedar de 2.5cm.

3 Con un cuchillo hacer cortes poco profundos en patrón de diamante en el borde de la pasta.

4 En una tabla para picar colocar el pescado, con un cuchillo filoso quitar la piel del eglefino ahumado y del bacalao. Cortar en rebanadas.

5 De manera uniforme untar el pesto con el dorso de una cuchara sobre el rectángulo de pasta.

6 Acomodar el pescado, los jitomates y el queso en el rectángulo de pasta, barnizar la pasta con el huevo batido.

7 Hornear la tarta en el horno precalentado de 20 a 25 minutos, hasta que la pasta haya subido, esté esponjosa y dorada. Decorar con el perejil picado y servir de inmediato.

Ingredientes   PORCIONES 4

350g/ 12 oz de pasta hojaldrada preparada, descongelada
150g/ 5 oz de eglefino ahumado
150g/ 5 oz de bacalao
1 cucharada de pesto
2 jitomates, rebanados
125g/ 4 oz de queso de cabra, rebanado
1 huevo, batido
Perejil recién picado, para decorar

Dato culinario

El eglefino ahumado es uno de los platillos favoritos para desayunar del pueblo pesquero de Findon y del resto de Escocia desde hace muchos años. Antes, en Escocia lo pescaban y lo ahumaban (muchas veces sobre fuego encendido con turba), ahora se produce en Nueva Inglaterra y en otros estados de la costa oriental de Estados Unidos.

2

4

6

Omelette chino

1 Enjuagar el germen de soya, colocar en la parte superior de una vaporera de bambú junto con las zanahorias. Agregar el jengibre rallado y la salsa de soya. Colocar la vaporera sobre una cacerola o un wok lleno hasta la mitad de agua hirviendo a fuego lento y cocer al vapor durante 10 minutos, o hasta que las verduras estén suaves y crujientes. Reservar y mantener calientes.

2 En un tazón batir los huevos hasta que tengan consistencia espumosa, sazonar al gusto con sal y pimienta. Calentar una sartén de 20cm, verter el aceite de ajonjolí y, cuando esté muy caliente, añadir los huevos batidos. Con un tenedor repartir el huevo en la sartén, dejar que se cueza y que comience a cuajar. Cuando la superficie comience a formar burbujas, levantar las orillas para que el huevo crudo corra hacia la parte inferior.

3 Colocar la mezcla del germen y la zanahoria sobre el omelette y dejar que se cueza un poco más. Cuando esté cuajado deslizar el omelette a un platón caliente para servir y enrollar con cuidado. Servir de inmediato con ensalada verde, arroz y salsa de soya extra.

Ingredientes   PORCIONES 1

50g/ 2 oz de germen de soya
50g/ 2 oz de zanahorias, peladas, cortadas en juliana
Raíz de jengibre fresco de 1cm, pelada, rallada
1 cucharadita de salsa de soya
2 huevos grandes
Sal y pimienta negra, recién molida
1 cucharada de aceite de ajonjolí oscuro

Para acompañar:

Ensalada verde
Arroz recién cocido o arroz frito especial, al gusto
Salsa de soya

Consejo

Modifica los ingredientes de este omelette con las verduras que tengas en el refrigerador. Prueba con cebollas rebanadas, tiras finas de pimientos rojo o verde, chícharos chinos cortados en mitades a lo largo o algunos ejotes. Corta las verduras en trozos del mismo tamaño para que todos estén suaves al mismo tiempo.

Banquete mediterráneo

1 Cortar la lechuga en 4 partes y retirar el centro duro. Cortar en trozos medianos y acomodar en cuatro platos individuales grandes para servir.

2 Cocer los ejotes en agua hirviendo con sal durante 8 minutos y las papas durante 10 minutos o hasta que estén suaves. Colar y enjuagar en agua fría hasta que estén fríos. Con un cuchillo filoso cortar los ejotes y las papas a la mitad.

3 Hervir los huevos durante 10 minutos, enjuagar bien bajo el chorro de agua fría hasta que se enfríen. Retirar la cáscara bajo el agua, cortar cada huevo en 4.

4 Retirar las semillas del pimiento, cortarlo en tiras finas. Picar finamente la cebolla.

5 Acomodar los ejotes, las papitas, los huevos, los pimientos y la cebolla sobre la lechuga. Añadir el atún, el queso y los jitomates. Esparcir las aceitunas encima, decorar con la albahaca.

6 Para hacer la vinagreta, en una jarra con tapa de rosca colocar todos los ingredientes, agitar vigorosamente hasta que todo esté bien mezclado. Verter 4 cucharadas del aderezo sobre cada plato de ensalada preparada y servir el resto en un recipiente aparte.

Ingredientes   PORCIONES 4

1 lechuga romana pequeña
225g/ 8 oz de ejotes
225g/ 8 oz de papitas de cambray, limpias
4 huevos
1 pimiento verde
1 cebolla
200g/ 7 oz de atún en lata, colado, desmenuzado en trozos pequeños
50g/ 2 oz de queso firme, bajo en grasa, como Edam, cortado en cubos pequeños
8 jitomates cherry, maduros, firmes, cortados en cuartos
50g/ 2 oz de aceitunas negras, sin hueso, en mitades
Albahaca fresca, recién picada, para decorar

Para la vinagreta de limón verde:

3 cucharadas de aceite de oliva
2 cucharadas de vinagre de vino blanco
4 cucharadas de jugo de limón amarillo
Ralladura de 1 limón amarillo
1 cucharadita de mostaza de Dijon
1–2 cucharaditas de azúcar extrafina
Sal y pimienta negra, recién molida

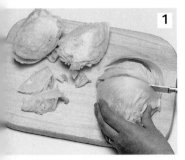

Frittata de mozzarella con ensalada de jitomate y albahaca

1 Para hacer la ensalada de jitomate y albahaca: rebanar los jitomates muy finamente, trocear las hojas de albahaca y esparcirlas sobre el jitomate. Para hacer el aderezo: mezclar el aceite de oliva, el jugo de limón y el azúcar. Sazonar con sal y pimienta antes de verter sobre la ensalada.

2 Para hacer la frittata, precalentar la parrilla a intensidad alta, justo antes de comenzar a cocinar. En un tazón grande colocar los huevos con suficiente sal y batir. Rallar el mozzarella e incorporarlo al huevo junto con las cebollas de cambray finamente picadas.

3 En una sartén grande de teflón calentar el aceite, verter la mezcla del huevo, revolviendo con una cuchara de madera para repartir uniformemente los ingredientes en la sartén.

4 Cocer de 5 a 8 minutos, hasta que la frittata esté dorada y firme en la parte inferior. Pasar la sartén al grill precalentado y cocer de 4 a 5 minutos o hasta que la parte superior esté dorada. Deslizar la frittata a un platón, cortar en 6 rebanadas grandes y servir de inmediato con la ensalada de jitomate y albahaca y pan crujiente caliente.

Ingredientes PORCIONES 6

Para la ensalada:
6 jitomates maduros, firmes
2 cucharadas de hojas de albahaca, fresca
2 cucharadas de aceite de oliva
1 cucharada de jugo de limón amarillo, fresco
1 cucharadita de azúcar extrafina
Pimienta negra, recién molida

Para la frittata:
7 huevos, batidos
Sal
325g/ 11 oz de queso mozzarella
2 cebollas de cambray, finamente picadas
2 cucharadas de aceite de oliva
Pan crujiente caliente

Nuestra sugerencia
El queso mozzarella fresco se vende en paquetes con un poco de suero. Después de rallar el queso presiónalo firmemente entre hojas de papel absorbente para eliminar el exceso de agua que puede sudar durante la cocción.

Tarta de hierbas con jitomate y calabacitas

1 Precalentar el horno a 230°C/ 450°F. En una sartén grande calentar 2 cucharadas del aceite.

2 Freír la cebolla y el ajo durante 4 minutos aproximadamente hasta que estén suaves, reservar.

3 En una superficie ligeramente enharinada extender la pasta hojaldrada, cortar un círculo de 30cm.

4 Con un poco de huevo batido barnizar la pasta, perforar con un tenedor.

5 Pasar a una charola húmeda para horno y hornear durante 10 minutos.

6 Voltear la pasta y barnizar con un poco más de huevo. Hornear durante 5 minutos más, retirar del horno.

7 Mezclar la cebolla, el ajo y las hierbas junto con el queso de cabra, untar sobre la pasta hojaldrada.

8 Acomodar los jitomates y las calabacitas sobre el queso y bañar con el resto del aceite.

9 Hornear de 20 a 25 minutos o hasta que la pasta esté dorada y la superficie burbujee. Decorar con las ramitas de tomillo, servir de inmediato.

Ingredientes   PORCIONES 4

4 cucharadas de aceite de oliva
1 cebolla, finamente picada
3 dientes de ajo, pelados, machacados
400g/ 14 oz de pasta hojaldrada, descongelada
1 huevo pequeño, batido
2 cucharadas de romero, recién picado
2 cucharadas de perejil, recién picado
175g/ 6 oz de queso de cabra, fresco, sin costra
4 Jitomates roma, maduros, rebanados
1 calabacita, rebanada
Ramitas de tomillo, para decorar

Dato culinario

El queso de cabra es excelente para esta receta, complementa al jitomate y a la calabacita. Pero toma en cuenta que tiende a ser un poco ácido, así que elige una variedad cremosa que se suaviza todavía más cuando se hornea.

Berenjena siciliana al horno

1 Precalentar el horno a 200°C/ 400°F. Cortar la berenjena en cubos pequeños, colocar sobre una charola engrasada para horno.

2 Cubrir la charola con papel aluminio y hornear de 15 a 20 minutos hasta que esté suave. Reservar, dejar que la berenjena se enfríe.

3 En un tazón grande colocar el apio y los jitomates, cubrir con agua hirviendo.

4 Retirar los jitomates del tazón cuando la piel comience a desprenderse. Retirar la piel, quitar las semillas, picar la pulpa en trozos pequeños.

5 Retirar el apio del tazón con agua, picar finamente y reservar.

6 En una cacerola de teflón verter el aceite de girasol, agregar los echalotes picados, freír ligeramente de 2 a 3 minutos hasta que estén suaves. Añadir el apio, los jitomates, el puré de tomate y las aceitunas. Sazonar al gusto con sal y pimienta.

7 Cocinar a fuego lento de 3 a 4 minutos. Verter el vinagre, el azúcar y la berenjena fría, calentar ligeramente de 2 a 3 minutos, hasta que todos los ingredientes estén bien integrados. Reservar para dejar que la mezcla se enfríe. Cuando esté fría decorar con la albahaca picada y servir con las hojas para ensalada.

Ingredientes   PORCIONES 4

1 berenjena grande
2 tallos de apio, cortados en trozos medianos
4 jitomates grandes, maduros
1 cucharadita de aceite de girasol
2 echalotes, pelados, finamente picados
1 ½ cucharadita de puré de tomate
25g/ 1 oz de aceitunas verdes, sin hueso
25g/ 1 oz de aceitunas negras, sin hueso
Sal y pimienta negra, recién molida
1 cucharada de vinagre de vino blanco
2 cucharaditas de azúcar extrafina
1 cucharada de albahaca, recién picada, para decorar
Hojas para ensalada

Dato culinario

Los alimentos de color morado, como la berenjena, tienen antioxidantes particularmente poderosos, lo cual ayuda al cuerpo a protegerse de las enfermedades y fortalece a los órganos.

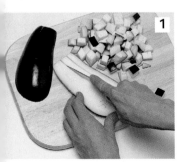

Tortitas de elote con aderezo picante

1 Para hacer el aderezo: Calentar un wok, verter el aceite de girasol y cuando esté caliente agregar la cebolla, freír revolviendo de 3 a 4 minutos o hasta que esté suave. Añadir los chiles y el ajo, freír revolviendo durante 1 minuto, dejar enfriar ligeramente. Incorporar la salsa de ciruela, pasar a un procesador de alimentos y licuar un poco hasta obtener una consistencia de chutney (conserva agridulce). Reservar.

2 En un procesador de alimentos colocar los granos de elote, licuar un poco hasta machacar. Pasar a un tazón junto con las cebollas, el chile en polvo, el cilantro, la harina, el polvo para hornear y el huevo. Sazonar al gusto con sal y pimienta, mezclar bien.

3 Calentar un wok, verter el aceite y calentar a 180°C/ 350°F. Por tandas colocar cucharadas soperas de la mezcla del elote en el aceite, freír de 3 a 4 minutos o hasta que estén doradas y crujientes, volteando ocasionalmente. Con una cuchara coladora retirar y dejar escurrir sobre papel absorbente. Acomodar sobre un platón caliente, decorar con las ramitas de cilantro y servir de inmediato con el aderezo.

Ingredientes   RINDE 16-20

325g/ 11 oz de granos de elote, de lata, colados
1 cebolla, pelada, picada muy finamente
1 cebolla de cambray, picada muy finamente
½ cucharadita de chile en polvo
1 cucharadita de cilantro, molido
4 cucharadas de harina común
1 cucharadita de polvo para hornear
1 huevo
Sal y pimienta negra, recién molida
300ml de aceite de cacahuate
Ramitas de cilantro fresco, para decorar

Para el aderezo picante:

3 cucharadas de aceite de girasol
1 cebolla, picada muy finamente
¼ cucharadita de chiles secos, machacados
2 dientes de ajo, pelados, machacados
2 cucharadas de salsa de ciruela

Lentejas de Puy cremosas

1 En una cacerola con mucha agua fría colocar las lentejas y dejar que suelte el hervor.

2 Hervir rápidamente durante 10 minutos, reducir el fuego y cocinar a fuego lento durante 20 minutos más o hasta que estén suaves. Colar bien.

3 Mientras, prepara el aderezo. En una sartén a fuego medio calentar el aceite.

4 Agregar el ajo y freír durante 1 minuto hasta que apenas comience a dorar. Añadir la ralladura y el jugo de limón.

5 Agregar la mostaza, freír durante 30 segundos más.

6 Añadir el estragón y la crème fraîche, sazonar al gusto con sal y pimienta.

7 Cocinar a fuego lento y añadir las lentejas coladas, los jitomates y las aceitunas.

8 Pasar a un platón para servir, espolvorear encima el perejil picado.

9 Decorar las lentejas con las ramitas de estragón y los gajos de limón. Servir de inmediato.

Ingredientes   PORCIONES 4

225g/ 8 oz de lentejas de Puy
1 cucharada de aceite de oliva
1 diente de ajo, pelado, finamente picado
Ralladura y jugo de 1 limón amarillo
1 cucharadita de mostaza de grano entero
1 cucharadita de estragón, recién picado
3 cucharadas de crème fraîche, semidescremada (crema fresca)
Sal y pimienta negra, recién molida
2 jitomates pequeños, sin semillas, picados
50g/ 2 oz de aceitunas negras, sin hueso
1 cucharada de perejil, recién picado

Para decorar:

Ramitas de estragón fresco
Gajos de limón amarillo

Dato culinario

Las lentejas de Puy son más pequeñas que la variedad verde, tienen una apariencia moteada que va desde el dorado hasta el verde. Mantienen su forma y su firme textura cuando se cuecen. No siempre son de origen francés pues este tipo de lenteja también se cultiva mucho en Canadá.

Stir-fry de ejotes y nueces

1 Calentar el aceite en un wok o en una sartén grande, añadir la cebolla y el apio, freír revolviendo ligeramente de 3 a 4 minutos o hasta que estén suaves.

2 Agregar el jengibre, el ajo y el chile al wok, freír revolviendo durante 30 segundos. Incorporar los ejotes y los chícharos chinos junto con las nueces de la india, freír revolviendo de 1 a 2 minutos o hasta que las nueces tomen un color dorado.

3 Disolver el azúcar en el caldo, incorporar el jerez, la salsa de soya y el vinagre. Verter sobre la mezcla de los ejotes y dejar que suelte el hervor. Cocinar a fuego lento, revolviendo ocasionalmente, de 3 a 4 minutos o hasta que los ejotes y los chícharos estén suaves y crujientes y la salsa haya espesado ligeramente. Pasar a un tazón caliente para servir o a platos individuales. Espolvorear encima el cilantro recién picado y servir de inmediato.

Ingredientes   PORCIONES 4

3 cucharadas de aceite de girasol
1 cebolla, finamente picada
1 tallo de apio, picado
Raíz de jengibre fresco de 2.5cm, pelada, rallada
2 dientes de ajo, pelados, machacados
1 chile rojo, sin semillas, finamente picado
175g/ 6 oz de ejotes, cortados en mitades
175g/ 6 oz de chícharos chinos, cortados en diagonal en 3 trozos
75g/ 3 oz de nueces de la india, sin sal
1 cucharadita de azúcar morena
125ml/ 4 fl oz de caldo de verduras
2 cucharadas de jerez seco
1 cucharada de salsa de soya clara
1 cucharadita de vinagre de vino tinto
Sal y pimienta negra, recién molida
Cilantro, recién picado, para decorar

Pollo con verduras baby stir-fry

1 Calentar el aceite en un wok. Añadir el chile picado junto con el pollo, freír revolviendo de 4 a 5 minutos o hasta que el pollo esté cocido y dorado.

2 Aumentar el fuego, agregar el puerro y freír revolviendo durante 2 minutos. Agregar los espárragos, los chícharos chinos, las zanahorias baby, los ejotes y los elotes baby. Freír revolviendo de 3 a 4 minutos o hasta que las verduras estén suaves y un poco crujientes.

3 En un tazón pequeño mezclar el caldo de pollo, la salsa de soya, el jerez seco y el aceite de ajonjolí. Verter sobre las verduras y el pollo, revolver y cocinar hasta que esté bien caliente. Espolvorear encima las semillas de ajonjolí y servir de inmediato.

Ingredientes   PORCIONES 4

2 cucharadas de aceite de cacahuate
1 chile rojo pequeño, sin semillas, finamente picado
150g/ 5 oz de carne de pechuga o muslo de pollo, sin piel, cortada en trozos medianos
2 puerros baby, recortados, rebanados
12 espárragos, en mitades
125g/ 4 oz de chícharos chinos, cortados en diagonal
125g/ 4 oz de zanahorias baby, cortadas en mitades a lo largo
125g/ 4 oz de ejotes, cortados en diagonal
125g/ 4 oz de elotes baby, cortados en diagonal en mitades
500ml/ 2 fl oz de caldo de pollo
2 cucharaditas de salsa de soya clara
1 cucharada de jerez seco
1 cucharadita de aceite de ajonjolí
Semillas de ajonjolí tostadas, para decorar

Nuestra sugerencia

Busca paquetes de verduras baby mixtas en el supermercado. Por lo general se venden ya recortadas y así ahorrarás tiempo.

Ensalada de pollo satay

1 En un procesador de alimentos colocar la crema de cacahuate, la salsa de chile, el ajo, el vinagre de sidra, las salsas de soya, el azúcar, la sal y los granos de pimienta molidos, procesar hasta formar una pasta suave. Pasar a un tazón, cubrir y refrigerar hasta usarse.

2 En una cacerola hervir agua con un poco de sal. Añadir los noodles, cocer de 3 a 5 minutos. Colar y sumergir en agua fría. Colar de nuevo, incorporar el aceite de ajonjolí. Dejar enfriar.

3 Calentar el aceite de cacahuate en un wok y después añadir los cubos de pollo. Freír revolviendo de 5 a 6 minutos hasta que el pollo esté dorado y bien cocido.

4 Con una cuchara coladora retirar el pollo del wok, añadir a los noodles junto con la salsa de cacahuate. Mezclar un poco, espolvorear encima las hojas de apio y servir de inmediato o dejar enfriar y servir con la lechuga romana.

Ingredientes   PORCIONES 4

4 cucharadas de crema de
    cacahuate, con trozos
    de cacahuate
1 cucharada de salsa de chile
1 diente de ajo, pelado, machacado
2 cucharadas de vinagre de sidra
2 cucharadas de salsa de soya clara
2 cucharadas de salsa de soya oscura
2 cucharaditas de azúcar morena
Pizca de sal
2 cucharadas de granos de pimienta
    Sichuan, recién molidos
450g/ 1 lb de noodles de huevo,
    secos
2 cucharadas de aceite de ajonjolí
1 cucharada de aceite de cacahuate
450g/ 1 lb de filetes de pollo, sin piel,
    sin hueso, cortados en cubos
Hojas de apio, picadas, para decorar
Lechuga romana

Dato culinario

Los granos de pimienta Sichuan son las bayas secas de un arbusto de la familia de los cítricos. Tienen un sabor bien definido, como a especia, y se asan en la sartén antes de molerlos para sacar su distintivo sabor.

Papas crujientes al horno con jamón serrano

1 Precalentar el horno a 200°C/ 400°F. Lavar las papas y secarlas. Acomodarlas en una charola para horno y perforarlas con un tenedor. Hornear de 1 a 1 ½ horas o hasta que estén suaves al apretarlas. (Usar guantes de cocina o un paño para manipularlas, pues están muy calientes).

2 Cortar las papas a la mitad horizontalmente, sacar toda la pulpa y ponerla en un tazón.

3 Colocar la crème fraîche en el mismo tazón y mezclar bien con las papas. Sazonar al gusto con un poco de sal y pimienta.

4 Cortar el jamón en tiras, incorporar a la mezcla de las papas con las habas, las zanahorias y los chícharos.

5 Rellenar las cáscaras de las papas con la mezcla, espolvorear un poco de queso rallado encima.

6 Colocar bajo el grill hasta que estén doradas y bien calientes. Servir de inmediato con ensalada verde fresca.

Ingredientes   PORCIONES 4

4 papas grandes para hornear
4 cucharaditas de crème fraîche semidescremada (crema fresca)
Sal y pimienta negra, recién molida
50g/ 2 oz de jamón serrano, magro o prosciutto, retirar la grasa
50g/ 2 oz de habas baby, cocidas
50g/ 2 oz de zanahorias, cocidas, picadas
50g/ 2 oz de chícharos, cocidos
50g/ 2 oz de queso bajo en grasa, edam o cheddar, rallado
Ensalada verde fresca

Dato culinario

El jamón serrano se produce en España, tiene un delicioso sabor dulce y se rebana siguiendo la veta de la carne. El sustituto más parecido es el prosciutto italiano. El jamón serrano tiene una textura ligeramente firme y muchas veces se sirve sobre rebanadas de pan.

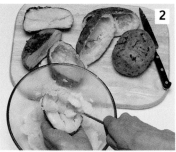
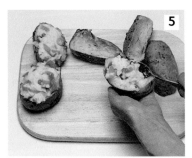

Fajitas de res con salsa de aguacate

1 Calentar un wok, verter el aceite, añadir la carne y freír revolviendo de 3 a 4 minutos. Agregar el ajo y las especias, cocer durante 2 minutos más. Añadir el tomate, dejar que suelte el hervor, tapar y cocinar a fuego lento durante 5 minutos.

2 Mientras, en un procesador de alimentos licuar los frijoles rojos hasta romperlos un poco, añadir al wok. Continuar la cocción durante 5 minutos, añadir de 2 a 3 cucharadas de agua. La mezcla debe estar espesa y un poco seca. Incorporar el cilantro picado.

3 Aparte mezclar el aguacate, el chalote, el jitomate, el chile y el jugo de limón. Pasar a un recipiente para servir y reservar.

4 Justo antes de servir calentar las tortillas y untar un poco de crema agria. Colocar encima una cucharada de la mezcla de la carne, después una cucharada de la salsa de aguacate y enrollar. Repetir hasta usar toda la mezcla. Servir de inmediato con ensalada verde.

Ingredientes PORCIONES 3-6

2 cucharadas de aceite de girasol
450g/ 1 lb de bisteces de filete o de pulpa de res, cortados en tiras finas
2 dientes de ajo, pelados, machacados
1 cucharadita de comino, molido
¼ taza de pimienta de Cayena
1 cucharada de paprika
230g/ 8 oz de tomates de lata, picados
215g/ 7 ½ oz de frijoles rojos, de lata, colados
1 cucharada de cilantro, recién picado
1 aguacate, pelado, sin hueso, picado
1 chalote, pelado, picado
1 jitomate grande, sin piel, sin semillas, picado
1 chile rojo, picado
1 cucharada de jugo de limón amarillo
6 tortillas de harina grandes
3–4 cucharadas de crema agria
Ensalada verde

Arroz y pasta

El arroz y la pasta son excelentes para cualquier ocasión, son baratos, deliciosos y te dejan satisfecho, ¿qué más puedes pedir de una comida? La combinación de arroz y pescado es deliciosa, prueba el Eglefino ahumado kedgeree o el Salmón frito con risotto de hierbas. La pasta se lleva bien con salsas llenas de sabor, así que no hay nada que se compare al Rigatoni con gorgonzola y nueces de la India o al Cordero cremoso con pasta de champiñones silvestres.

Pimientos rellenos de arroz

1 Precalentar el horno a 200°C/ 400°F. En un tazón pequeño colocar los jitomates, verter suficiente agua hirviendo para cubrirlos. Dejar remojar durante 1 minuto, colar. Sumergir los jitomates en agua fría, pelarlos, cortarlos en cuartos, retirar las semillas y picar.

2 En una sartén calentar el aceite de oliva y freír ligeramente la cebolla durante 10 minutos, hasta que esté suave. Añadir el ajo, los jitomates picados y el azúcar.

3 Cocer ligeramente la mezcla del jitomate durante 10 minutos, hasta que espese. Retirar del fuego e incorporar a la salsa el arroz, los piñones y el orégano. Sazonar al gusto con sal y pimienta.

4 Cortar los pimientos a la mitad a lo largo, cortar a través del tallo. Retirar las semillas y las membranas, colocar sobre una charola para horno ligeramente engrasada. Rebanar un poco la parte inferior y hornear durante 10 minutos aproximadamente.

5 Voltear los pimientos con el corte hacia arriba. Rellenar con la mezcla, cubrir con papel aluminio. Regresar al horno durante 15 minutos o hasta que estén muy suaves, retirar el papel al inicio de los últimos 5 minutos de cocción para dejar que la superficie se dore un poco.

6 Servir medio pimiento rojo y medio amarillo por persona, acompañar con ensalada y suficiente pan crujiente caliente.

Ingredientes   PORCIONES 4

8 jitomates maduros
2 cucharadas de aceite de oliva
1 cebolla, picada
1 diente de ajo, pelado, machacado
½ cucharadita de azúcar moscabada
125g/ 4 oz de arroz de grano largo, cocido
50g/ 2 oz de piñones, tostados
1 cucharada de orégano, recién picado
Sal y pimienta negra, recién molida
2 pimientos rojos grandes
2 pimientos amarillos grandes

Para acompañar:

Ensalada mixta
Pan crujiente

Nuestra sugerencia

Quizá sea necesario rebanar un poco la parte inferior de los pimientos para que se paren firmemente sobre la charola. Ten cuidado de no cortar demasiado.

Hamburguesas de frijoles adzuki con arroz

1 En una cacerola calentar 1 cucharada del aceite, freír ligeramente la cebolla durante 10 minutos, hasta que esté suave. Agregar el ajo y el curry en pasta, freír durante unos segundos más. Incorporar el arroz y los frijoles.

2 Verter el caldo, dejar que suelte el hervor y cocinar a fuego lento durante 12 minutos, o hasta que todo el caldo se haya absorbido —no levantar la tapa durante los primeros 10 minutos de la cocción—. Reservar.

3 Machacar ligeramente el tofu. Agregarle la mezcla del arroz junto con el garam masala, el cilantro, sal y pimienta. Mezclar bien.

4 Dividir la mezcla en 8 porciones y dale forma de hamburguesas. Refrigerar durante 30 minutos.

5 Mientras, preparar la raita. Mezclar las zanahorias, el pepino y el yogur griego. Pasar a un tazón pequeño y refrigerar hasta servir.

6 En una sartén grande calentar el resto del aceite. Freír las hamburguesas, en tandas si es necesario, de 4 a 5 minutos por lado, o hasta que estén ligeramente doradas. Servir en los panecillos con las rebanadas de jitomate y la lechuga. Acompañar con la raita.

Ingredientes   PORCIONES 4

2 ½ cucharadas de aceite de girasol
1 cebolla, picada muy finamente
1 diente de ajo, pelado, machacado
1 cucharadita de curry en pasta
225g/ 8 oz de arroz basmati
   (de grano largo)
400g/ 14 oz de frijoles adzuki, de
   lata, colados, enjuagados
250ml/ 8 fl oz de caldo de verduras
125g/ 4 oz de tofu firme,
   desmenuzado
1 cucharadita de garam masala
2 cucharadas de cilantro, recién
   picado
Sal y pimienta negra, recién molida

Para la raita de zanahoria:

2 zanahorias grandes, peladas,
   ralladas
½ pepino, cortado en cubos
   pequeños
150ml de yogur griego

Para acompañar:

Panecillos integrales
Rebanadas de jitomate
Hojas de lechuga

Arroz frito con brotes de bambú y jengibre

1 Calentar el aceite en un wok, añadir la cebolla, freír ligeramente de 3 a 4 minutos, agregar el arroz de grano largo y freír de 3 a 4 minutos o hasta que esté dorado, revolviendo frecuentemente.

2 Añadir el ajo, el jengibre y las cebollas de cambray picadas al wok, revolver bien. En una cacerola pequeña colocar el caldo de verduras y dejar que suelte el hervor. Pasar el caldo al wok, revolver bien, cocinar a fuego lento durante 10 minutos o hasta que se haya absorbido casi todo el líquido.

3 Incorporar los champiñones botón, los chícharos y la salsa de soya, cocer durante 5 minutos más o hasta que el arroz esté suave, añadiendo un poco de caldo extra si es necesario.

4 Agregar los brotes de bambú. Sazonar al gusto con sal, pimienta y pimienta de Cayena. Cocinar de 2 a 3 minutos o hasta que esté bien caliente. Pasar a un platón, decorar con las hojas de cilantro y servir de inmediato.

Ingredientes PORCIONES 4

4 cucharadas de aceite de girasol
1 cebolla, finamente picada
225g/ 8 oz de arroz de grano largo
3 dientes de ajo, pelados, cortados en láminas
Raíz de jengibre de 2.5cm, pelada, rallada
3 cebollas de cambray
450ml de caldo de verduras
125g/ 4 oz de champiñones botón, lavados, cortados en mitades
75g/ 3 oz de chícharos congelados
2 cucharadas de salsa de soya clara
500g/ 1 lb de brotes de bambú, de lata, colados, finamente rebanados
Sal y pimienta negra recién molida
Pimienta de Cayena, al gusto
Hojas de cilantro fresco, para decorar

Dato culinario

El champiñón botón, el capuchón y el plano son el mismo tipo de champiñón, pero en diferentes etapas de madurez. El champiñón botón es el menos maduro y tiene el sabor más suave.

Eglefino ahumado kedgeree

1 En una sartén profunda colocar el pescado y cubrirlo con 300ml de agua. Hervir a fuego lento de 8 a 10 minutos, o hasta que la carne esté cocida. Colar, retirar la piel y las espinas, desmenuzar la carne y colocar en un recipiente. Mantener caliente.

2 En una cacerola derretir la mantequilla, añadir la cebolla picada y el curry en polvo. Freír revolviendo de 3 a 4 minutos o hasta que la cebolla esté suave. Incorporar el arroz, freír durante 1 minuto más, revolviendo constantemente, verter el caldo caliente.

3 Tapar y cocinar a fuego lento durante 15 minutos o hasta que el arroz haya absorbido todo el líquido. Cortar los huevos en cuartos u octavos, añadir la mitad a la mezcla junto con la mitad del perejil.

4 Incorporar el pescado cocido a la mezcla, agregar la crema para batir. Sazonar al gusto con sal y pimienta. Calentar el kedgeree hasta que burbujee.

5 Pasar la mezcla a un recipiente caliente y decorar con el resto del huevo y el perejil. Servir de inmediato con una pizca de pimienta de Cayena.

Ingredientes   PORCIONES 4

450g/ 1 lb de filetes de eglefino ahumado
50g/ 2 oz de mantequilla
1 cebolla, finamente picada
2 cucharaditas de curry en polvo, suave
175g/ 6 oz de arroz de grano largo
450ml de caldo de pescado o de verduras, caliente
2 huevos grandes, cocidos duros, sin cascarón
2 cucharadas de cilantro, recién picado
2 cucharadas de crema para batir (opcional)
Sal y pimienta negra, recién molida
Pizca de pimienta de Cayena

Dato culinario

La palabra Khichri se refiere a una mezcla o revoltijo en hindi. Los ingleses en la India adaptaron este platillo, que originalmente se hacía con diferentes especias hervidas a fuego lento con arroz y lentejas, y le dieron el nombre de kedgeree, le añadieron hojuelas de pescado ahumado y huevos duros.

Arroz picante con bacalao

1 En un recipiente grande mezclar la harina, el cilantro, el comino y el cilantro molido. Revolcar el bacalao en la mezcla de las especias y colocarlo sobre una charola grande para horno, cubrir y enfriar en el refrigerador durante 30 minutos.

2 Calentar un wok grande, verter 2 cucharadas del aceite, calentar hasta que esté a punto de humear. Freír revolviendo las nueces de la India durante 1 minuto hasta que estén doradas, retirar y reservar.

3 Agregar 1 cucharada más del aceite, calentar hasta que casi humee. Agregar el bacalao y freír revolviendo durante 2 minutos. Con una espátula voltear las piezas de bacalao y freír durante 2 minutos más, hasta que estén doradas. Retirar del wok, colocar en un platón caliente, tapar y mantener caliente.

4 Verter el resto del aceite al wok, calentar hasta que esté a punto de humear, freír revolviendo las cebollas de cambray y el chile durante 1 minuto antes de añadir las zanahorias y los chícharos. Freír revolviendo durante 2 minutos más. Incorporar el arroz, la salsa de chile, la salsa de soya y las nueces de la India, freír revolviendo durante 3 minutos más. Agregar el bacalao, calentar durante 1 minuto, servir de inmediato.

Ingredientes   PORCIONES 4

1 cucharada de harina común
1 cucharada de cilantro, recién picado
1 cucharadita de comino, molido
1 cucharadita de cilantro, molido
550g/ 1 ¼ lb de filetes de bacalao, gruesos, sin piel, cortados en trozos grandes
4 cucharadas de aceite de cacahuate
50g/ 2 oz de nueces de la India
1 manojo de cebollas de cambray, rebanadas en diagonal
1 chile rojo, sin semillas, picado
1 zanahoria, pelada, cortada en juliana
125g/ 4 oz de chícharos congelados
450g/ 1 lb de arroz de grano largo, cocido
2 cucharadas de salsa de chile dulce
2 cucharadas de salsa de soya

Nuestra sugerencia

Es necesario tener cuidado al freír las nueces pues tienden a quemarse demasiado rápido. Una alternativa es tostarlas en una charola para horno a 180°C/ 350°F durante 5 minutos, hasta que tomen un color dorado y suelten el aroma.

Salmón frito con risotto de hierbas

1 Con un paño húmedo limpiar los filetes de salmón. En un plato grande mezclar la harina, la mostaza en polvo y los sazonadores, revolcar los filetes de salmón en la mezcla. Reservar.

2 En una sartén grande calentar la mitad del aceite de oliva, freír los chalotes durante 5 minutos hasta que estén suaves, sin que tomen color. Agregar el arroz, revolver durante 1 minuto, verter el vino poco a poco, dejar que suelte el hervor rápidamente hasta que se reduzca a la mitad.

3 Dejar que el caldo suelte el hervor a fuego lento, verter al arroz, poco a poco. Cocer, revolviendo frecuentemente, hasta que todo el caldo se haya añadido y el arroz esté cocido, pero que esté un poco firme. Incorporar la mantequilla y las hierbas recién picadas, sazonar al gusto con sal y pimienta.

4 En una sartén grande acanalada calentar el resto del aceite de oliva, añadir la mantequilla, agregar los filetes y freír de 2 a 3 minutos por lado, o hasta que estén cocidos. Acomodar el risotto de hierbas en platos individuales calientes, colocar el salmón encima. Decorar con las rebanadas de limón y las ramitas de eneldo, servir de inmediato con ensalada de jitomate.

Ingredientes   PORCIONES 4

4 filetes de salmón de 175g/ 6 oz cada uno
3–4 cucharadas de harina común
1 cucharadita de mostaza en polvo seco
Sal y pimienta negra, recién molida
2 cucharadas de aceite de oliva
3 chalotes, pelados, picados
225g/ 8 oz de arroz Arborio (de grano corto)
150ml de vino blanco seco
1.5 litros de caldo de verduras o de pollo
50g/ 2 oz de mantequilla
2 cucharadas de cebollín, recién cortado
    con tijeras
2 cucharadas de eneldo, recién picado
2 cucharadas de perejil de hoja lisa, recién
    picado
Un poco de mantequilla

Para decorar:

Rebanadas de limón amarillo
Ramitas de eneldo fresco
Ensalada de jitomate

Nuestra sugerencia

Incorporar la mantequilla al risotto al final de la preparación es muy importante, pues le da al platillo una textura fina y un brillo especial. Sirve el risotto en cuanto esté cocido.

Arroz frito tai con langostinos y chiles

1 Lavar el arroz cambiando el agua varias veces hasta que ésta salga relativamente limpia. Colar bien. En una cacerola hervir agua salada, añadir el arroz y cocer de 12 a 15 minutos, hasta que esté suave, colar bien y reservar.

2 Calentar un wok, verter el aceite y cuando esté muy caliente agregar el ajo, freír revolviendo durante 20 segundos o hasta que apenas esté dorado. Añadir los chiles y los langostinos, freír revolviendo de 2 a 3 minutos.

3 Verter la salsa de pescado, el azúcar y la salsa de soya, freír revolviendo durante 30 segundos más o hasta que los langostinos estén bien cocidos.

4 Agregar el arroz cocido al wok, revolver bien. Añadir la cebolla, el pimiento rojo y la cebolla de cambray, mezclar bien durante 1 minuto, pasar a un platón caliente para servir. Decorar con las ramitas de cilantro fresco y servir de inmediato.

Ingredientes   PORCIONES 4

350g/ 12 oz de arroz aromático tai
2 cucharadas de aceite de cacahuate o vegetal
2 dientes de ajo, pelados, finamente picados
2 chiles rojos, sin semillas, finamente picados
125g/ 4 oz de langostinos crudos, pelados
1 cucharada de salsa de pescado tai
¼ cucharadita de azúcar
1 cucharada de salsa de soya clara
½ cebolla pequeña, pelada, finamente rebanada
½ pimiento rojo, sin semillas, finamente rebanado
1 cebolla de cambray, sólo la parte verde, cortada en tiras largas
Ramitas de cilantro fresco, para decorar

Dato culinario

El arroz aromático, o arroz jazmín, es un arroz de buena calidad de grano largo con un delicado aroma similar al basmati. Es necesario lavarlo, cambiando el agua varias veces hasta que ésta salga relativamente limpia y colarlo muy bien. Cuece el arroz siguiendo las instrucciones del paquete.

Pollo pilaf persa

1 En una cacerola grande de base gruesa calentar el aceite a fuego medio alto. Freír las piezas de pollo, por tandas, hasta que estén ligeramente doradas. Devolver todas las piezas de pollo doradas a la cacerola.

2 Añadir las cebollas a la cacerola, reducir a fuego medio y freír de 3 a 5 minutos, revolviendo frecuentemente, hasta que las cebollas comiencen a suavizarse. Agregar el comino y el arroz, revolver para bañar el arroz. Freír durante 2 minutos aproximadamente hasta que el arroz esté dorado y transparente. Incorporar el puré de jitomate y las hebras de azafrán, sazonar al gusto con sal y pimienta.

3 Verter el jugo de granada y el caldo, dejar que suelte el hervor, revolviendo una o dos veces. Añadir los chabacanos o las ciruelas, y las pasas, revolver un poco. Reducir a fuego lento y cocer durante 30 minutos hasta que el pollo y el arroz estén suaves y el líquido se haya absorbido.

4 Pasar a un platón para servir, espolvorear la menta o el perejil picados. Servir de inmediato, decorar con las semillas de granada.

Ingredientes PORCIONES 4-6

2–3 cucharadas de aceite vegetal
700g/ 1 ½ lb de pechugas y muslos
  de pollo, sin hueso, sin piel,
  cortadas en trozos medianos
2 cebollas, picadas grueso
1 cucharadita de comino, molido
200g/ 7 oz de arroz blanco de grano
  largo
1 cucharada de puré de tomate
1 cucharadita de hebras de azafrán
Sal y pimienta negra, recién molida
100ml/ 3 ½ fl oz de jugo de granada
900ml de caldo de pollo
125g/ 4 oz de chabacanos o ciruelas
  deshidratados, en mitades
2 cucharadas de pasas
2 cucharadas de menta o perejil,
  recién picado
Semillas de granada, para decorar
  (opcional)

Nuestra sugerencia

Si no encuentras jugo de granada, puedes sustituirlo por jugo de uva o de manzana sin endulzar.

Risotto italiano

1 Picar la cebolla y el ajo, reservar. En una sartén grande calentar el aceite de oliva, freír el salami de 3 a 5 minutos o hasta que esté dorado. Con una cuchara coladora pasar a un plato y mantener caliente. Agregar los espárragos a la sartén, freír revolviendo de 2 a 3 minutos, hasta que apenas se marchiten. Pasar al plato del salami. Añadir la cebolla y el ajo, freír durante 5 minutos o hasta que estén suaves.

2 Agregar el arroz a la sartén, freír durante 2 minutos aproximadamente. Verter el vino, dejar que suelte el hervor y cocinar a fuego lento, revolviendo hasta que el vino se absorba. Verter la mitad del caldo, dejar que suelte el hervor. Cocinar a fuego lento, revolviendo hasta que el líquido se haya absorbido.

3 Añadir la mitad del caldo restante y las habas a la mezcla del arroz. Dejar que suelte el hervor, cocinar a fuego lento de 5 a 10 minutos más o hasta que todo el líquido se haya absorbido.

4 Verter el resto del caldo, dejar que suelte el hervor y cocinar a fuego lento hasta que todo el líquido se absorba y el arroz esté suave. Incorporar el resto de los ingredientes hasta que el queso se haya derretido. Servir de inmediato.

Ingredientes   PORCIONES 4

1 cebolla, picada
2 dientes de ajo, pelados
1 cucharada de aceite de oliva
125g/ 4 oz de salami o speck italiano, picado
125g/ 4 oz de espárragos
350g/ 12 oz de arroz Arborio (de grano corto)
300ml de vino blanco seco
1 litro de caldo de pollo, caliente
125g/ 4 oz de habas cocidas
125g/ 4 oz de queso dolcelatte, cortado en cubos (queso azul sueve)
3 cucharadas de hierbas mixtas, recién picadas, como perejil y albahaca
Sal y pimienta negra, recién molida

Dato culinario

El queso es un ingrediente muy usado en la preparación del risotto y de hecho ayuda a darle parte de su cremosa consistencia. Por lo general se agrega queso parmesano al final de la cocción, pero en esta receta usamos una buena cantidad de queso dolcelatte.

Antipasto de penne

1   Justo antes de comenzar a cocinar, precalentar el grill. Cortar las calabacitas en rebanadas gruesas. Enjuagar los jitomates y cortar en cuartos; cortar el jamón en tiras. Verter el aceite a un recipiente para horno, colocar bajo el grill durante 2 minutos o hasta que casi humee. Retirar del grill y añadir las calabacitas. Regresar al grill, cocer durante 8 minutos, revolviendo ocasionalmente. Retirar del grill, agregar los tomates y cocer durante 3 minutos más.

2   Agregar el jamón al recipiente, cocer bajo el grill durante 4 minutos, hasta que todas las verduras estén chamuscadas y el jamón tome color café. Sazonar al gusto con sal y pimienta.

3   Mientras, sumergir la pasta en una cacerola grande con agua ligeramente salada, hirviendo a fuego alto, revolver y cocer durante 8 minutos o hasta que esté "al dente". Colar bien, devolver a la cacerola.

4   Añadir el antipasto de pimientos a las verduras, cocer bajo el grill durante 2 minutos o hasta que estén bien calientes. Añadir la pasta cocida, revolver ligeramente con los quesos. Asar durante 4 minutos más, servir de inmediato decorada con el perejil picado.

Ingredientes   PORCIONES 4

3 calabacitas
4 jitomates roma
175g/ 6 oz de jamón italiano
2 cucharadas de aceite de oliva
Sal y pimienta negra, recién molida
350g/ 12 oz de pasta penne, seca
285g/ 10 oz de pimientos, de lata
125g/ 4 oz de queso mozzarella, colado, en cubos
125g/ 4 oz de queso gorgonzola, desmenuzado
3 cucharadas de perejil de hoja lisa, recién picado, para decorar

Dato culinario

El término antipasto se refiere a los platillos servidos como aperitivo antes del "pasto" o comida, su propósito es abrir el apetito para los siguientes tiempos. En Italia se sirve en pequeñas cantidades, aunque pueden servirse 2 o 3 platillos diferentes al mismo tiempo. No existen reglas estrictas sobre cuáles son los platillos adecuados como antipasto —literalmente, existen miles de variantes regionales.

Rigatoni con gorgonzola y nueces de la India

1 En una cacerola grande hervir agua a fuego alto con un poco de sal. Añadir la pasta y cocer siguiendo las instrucciones del paquete o hasta que esté "al dente". Colar bien, reservar y mantener caliente.

2 En una cacerola grande o en un wok a fuego medio derretir la mantequilla. Añadir el queso gorgonzola y revolver hasta que se derrita. Verter el brandy y cocinar durante 30 segundos, verter la crema y cocinar de 1 a 2 minutos más, revolviendo hasta que la salsa esté tersa.

3 Incorporar las nueces, la albahaca y la mitad del queso parmesano, agregar la pasta. Sazonar al gusto con sal y pimienta. Regresar al fuego, revolviendo frecuentemente hasta que esté bien caliente. Repartir la pasta en 4 tazones calientes, espolvorear encima el resto del queso parmesano y servir de inmediato con los jitomates cherry y la ensalada verde.

Ingredientes PORCIONES 4

400g/ 14 oz de pasta rigatoni
50g/ 2 oz de mantequilla
125g/ 4 oz de queso gorgonzola, desmenuzado
2 cucharadas de brandy, opcional
200ml/ 17 fl oz de crema para batir o crema ácida
75g/ 3 oz de nueces de la India, ligeramente tostadas, picadas grueso
1 cucharada de albahaca, recién picada
50g/ 2 oz de queso parmesano, recién rallado
Sal y pimienta negra, recién molida

Para acompañar:

Jitomates cherry
Ensalada verde, fresca

Consejo

Esta salsa de queso azul también combina muy bien con pappardelle o lasagnette, ambos son tipos de pasta de huevo, anchos. Si lo prefieres puedes usar crema agria en lugar de la crema ácida o la crema para batir, pero primero debes calentarla ligeramente pues puede coagularse a altas temperaturas.

Gnocchetti con brócoli y salsa de tocino

1   En una cacerola grande hervir agua salada. Añadir los racimos de brócoli y cocer de 8 a 10 minutos, o hasta que estén muy suaves. Colar bien, dejar enfriar un poco y picar finamente, reservar.

2   En una sartén grande de base gruesa calentar el aceite, añadir la pancetta o el tocino y freír a fuego medio durante 5 minutos, o hasta que esté dorado y crujiente. Agregar la cebolla y freír durante 5 minutos más, o hasta que esté suave y ligeramente dorada. Añadir el ajo y freír durante 1 minuto.

3   Pasar el brócoli picado a la mezcla del tocino y verter la leche. Dejar que suelte ligeramente el hervor, cocinar a fuego lento durante 15 minutos o hasta que reduzca y adquiera una consistencia cremosa.

4   Mientras, en una cacerola grande hervir agua ligeramente salada a fuego alto. Agregar la pasta y cocer siguiendo las instrucciones del paquete o hasta que esté "al dente".

5   Colar muy bien la pasta, reservar un poco del líquido de cocción. Incorporar la pasta y el queso parmesano a la mezcla del brócoli. Revolver y añadir suficiente agua de cocción para obtener una salsa cremosa. Sazonar al gusto con sal y pimienta. Servir de inmediato con queso parmesano extra.

Ingredientes   PORCIONES 6

540g/ 1 lb de racimos de brócoli
4 cucharadas de aceite de oliva
50g/ 2 oz de pancetta o tocino ahumado, finamente picado
1 cebolla pequeña, finamente picada
3 dientes de ajo, pelados, rebanados
200ml/ 7 fl oz de leche
450g de pasta gnocchetti (conchas pequeñas de forma alargada)
50g/ 2 oz de queso parmesano, recién rallado, y extra para servir
Sal y pimienta negra, recién molida

Dato culinario

La pancetta es un tocino italiano veteado y puede ser ahumado o sin ahumar. Puedes comprarla rebanada o en trozos más grandes, aunque generalmente se vende empaquetada, cortada en cubos pequeños, lista para cocinarse. Cuando está cortado grueso, el tocino ahumado veteado es una buena alternativa.

Horneado de ñoquis y jamón de Parma

1 Calentar el horno a 180°C/ 350°F 10 minutos antes de cocinar. En una sartén grande calentar 2 cucharadas del aceite de oliva y freír la cebolla y el ajo durante 5 minutos o hasta que estén suaves. Incorporar los jitomates, la pasta de tomates deshidratados y el queso mascarpone. Sazonar al gusto con sal y pimienta. Agregar la mitad del estragón. Dejar que suelte el hervor, reducir el fuego inmediatamente y cocinar a fuego lento durante 5 minutos.

2 Mientras, en una cacerola grande hervir 1.7 litros de agua. Agregar el resto del aceite de oliva y una pizca grande de sal. Añadir los ñoquis y cocer de 1 a 2 minutos o hasta que suban a la superficie.

3 Colar bien los ñoquis y pasarlos a un recipiente grande resistente al fuego. Añadir la salsa de jitomate y revolver ligeramente para cubrirlos. Combinar el queso cheddar o parmesano con el pan molido y el resto del estragón, esparcir sobre la mezcla con los ñoquis. Colocar encima el jamón de Parma y las aceitunas, sazonar de nuevo.

4 Hornear de 20 a 25 minutos o hasta que esté dorado y burbujee. Servir de inmediato decorado con ramitas de perejil.

Ingredientes PORCIONES 4

3 cucharadas de aceite de oliva
1 cebolla morada, rebanada
2 dientes de ajo, pelados
175g/ 6 oz de jitomates roma, sin piel, cortados en cuartos
2 cucharadas de pasta de tomates deshidratados
250g/ 9 oz de queso mascarpone
sal y pimienta negra, recién molida
1 cucharada de estragón, recién picado
300g/ 11 oz de ñoquis frescos
125g/ 4 oz de queso parmesano o cheddar, rallado
50g/ 2 oz de pan blanco molido, fresco
50g/ 2 oz de jamón de Parma, rebanado
10 aceitunas verdes, sin hueso, en mitades
Ramitas de perejil de hoja lisa, para decorar

Nuestra sugerencia

Verifica que para esta receta compres ñoquis de papa y no ñoquis sardi, otra variedad con el mismo nombre. Es importante usar una cacerola grande de agua hirviendo para que la pasta tenga espacio suficiente durante la cocción y así no se pegue.

Pasta con salsa de chorizo y jitomate

1 En una sartén grande de base gruesa derretir la mantequilla con el aceite. Agregar las cebollas y freír a fuego muy lento, revolviendo ocasionalmente, durante 15 minutos o hasta que estén suaves y comiencen a caramelizarse.

2 Añadir el ajo y el chorizo a la sartén. Incorporar el chile, los tomates picados y la pasta de tomate, verter el vino. Sazonar bien con sal y pimienta. Dejar que suelte el hervor, tapar, reducir el fuego y cocinar a fuego lento durante 30 minutos, revolviendo ocasionalmente durante 10 minutos o hasta que la salsa comience a espesar.

3 Mientras, en una cacerola colocar agua ligeramente salada, dejar que suelte el hervor a fuego alto. Añadir la pasta y cocer siguiendo las instrucciones del paquete o hasta que esté "al dente".

4 Colar la pasta y reservar 2 cucharadas del agua de cocción, devolver la pasta a la cacerola. Agregar la salsa de chorizo con el agua de cocción reservada, revolver ligeramente hasta que la pasta esté cubierta uniformemente. Pasar a un platón caliente, espolvorear encima el perejil y servir de inmediato.

Ingredientes   PORCIONES 4

25g de mantequilla
2 cucharadas de aceite de oliva
2 cebollas grandes, finamente rebanadas
1 cucharadita de azúcar morena
2 dientes de ajo, pelados, machacados
225g/ 8 oz de chorizo, rebanado
1 chile, sin semillas, finamente rebanado
400g/ 14 oz de tomates de lata, picados
1 cucharada de pasta de tomates deshidratados
125ml de vino tinto
Sal y pimienta negra, recién molida
450g/ 1 lb de rigatoni
Perejil recién picado, para decorar

Nuestra sugerencia

Aunque existen muchas variedades de chile, todos tienen un sabor fuerte y picante. Ten cuidado cuando prepares los chiles, pues los aceites volátiles de las semillas y la membrana pueden causar irritación —siempre que termines de manipularlos lávate muy bien las manos.

Pollo Marengo

1 Sazonar la harina con sal y pimienta, revolcar el pollo en la harina para cubrirlo bien. En una sartén grande calentar 2 cucharadas del aceite de oliva y freír el pollo durante 7 minutos o hasta que esté dorado uniformemente, volteando ocasionalmente. Con una cuchara coladora retirar de la sartén y mantener caliente.

2 Agregar el resto del aceite a la sartén, añadir la cebolla y freír, revolviendo ocasionalmente, durante 5 minutos o hasta que esté suave y comience a dorarse. Agregar el ajo, los tomates, la pasta de tomate, la albahaca y el tomillo. Verter el vino o el caldo de pollo y sazonar bien. Dejar que suelte el hervor. Incorporar los trozos de pollo, cocinar a fuego lento durante 15 minutos o hasta que el pollo esté suave y la salsa se haya espesado.

3 Mientras, en una cacerola grande hervir agua a fuego alto con un poco de sal. Agregar la pasta y cocer siguiendo las instrucciones del paquete o hasta que esté "al dente".

4 Colar bien la pasta, regresar a la cacerola e incorporar el perejil picado. Pasar la pasta a un platón caliente o repartir en platos individuales. Bañar con la salsa y servir de inmediato.

Ingredientes   PORCIONES 4

2 cucharadas de harina común
Sal y pimienta negra, recién molida
4 pechugas de pollo, sin hueso, sin piel, cortadas en trozos medianos
4 cucharadas de aceite de oliva
1 cebolla española, picada
1 diente de ajo, pelado, picado
400g/ 14 oz de tomates de lata, picados
2 cucharadas de pasta de tomates deshidratados
3 cucharadas de albahaca, recién picada
3 cucharadas de tomillo, recién picado
125ml/ 4 fl oz de vino blanco seco o de caldo de pollo
350g/ 12 oz de rigatoni
3 cucharadas de perejil de hoja lisa, recién picado

Nuestra sugerencia

Las cebollas españolas tienen un sabor más suave y son más grandes que las inglesas. Cuécelas a fuego muy lento hasta que estén muy suaves, revolviendo frecuentemente hacia el final de la cocción para evitar que se peguen. Deja que se caramelicen y que se doren ligeramente, pues añaden un sabor más rico y un color dorado al platillo terminado.

Cordero cremoso con pasta de champiñones silvestres

1 En un tazón pequeño colocar los hongos porcini, cubrir con agua casi hirviendo. Dejar remojar durante 30 minutos. Colar y reservar el líquido de remojo. Picar los hongos finamente.

2 En una cacerola hervir agua a fuego alto con un poco de sal. Añadir la pasta, cocer siguiendo las instrucciones del paquete o hasta que esté "al dente".

3 Mientras, en una sartén grande derretir la mantequilla y verter el aceite de oliva, freír la carne para sellar. Agregar el ajo, los champiñones y los hongos porcini, freír durante 5 minutos, o hasta que apenas estén suaves.

4 Verter el vino y el líquido de remojo reservado, cocinar a fuego lento durante 2 minutos. Incorporar la crema con los sazonadores y cocinar a fuego lento de 1 a 2 minutos más o hasta que apenas espese.

5 Colar bien la pasta, reservar 4 cucharadas del líquido de cocción. Devolver la pasta a la cacerola. Verter encima la salsa de champiñones y revolver ligeramente, agregar el líquido de cocción de la pasta si la salsa está muy espesa. Pasar a un platón caliente o repartir en platos individuales. Decorar con el perejil picado y servir de inmediato con el queso parmesano rallado.

Ingredientes   PORCIONES 4

25g/ 1 oz de champiñones porcini deshidratados
45g/ 1 lb de pasta corta
25g/ 1 oz de mantequilla
1 cucharada de aceite de oliva
340g/ 12 oz de filetes de cuello de cordero, finamente rebanados
1 diente de ajo, pelado, machacado
225g/ 8 oz de champiñones marrones, lavados, rebanados
4 cucharadas de vino blanco
125ml/ 4 fl oz de crema ácida
Sal y pimienta negra, recién molida
1 cucharada de perejil, recién picado, para decorar
Queso parmesano, recién rallado

Nuestra sugerencia

Los hongos porcini tienen un sabor rico e intenso. Después de remojarlos es necesario enjuagarlos para eliminar la tierra. Colar el líquido de remojo en un colador fino o en una muselina. Si no tienes ninguno de los dos, déjalo reposar durante 10 minutos para que la tierra se asiente y retira el líquido limpio.

Carne de res con chile

1. En una sartén grande de base gruesa calentar el aceite de oliva. Añadir la cebolla y el pimiento rojo, freír durante 5 minutos o hasta que comiencen a suavizarse. Agregar la carne de res y freír a fuego alto de 5 a 8 minutos o hasta que la carne tome color café. Con una cuchara de madera revolver durante la cocción para desmenuzar la carne. Añadir el ajo y el chile, freír durante 1 minuto, sazonar al gusto con sal y pimienta.

2. Agregar los tomates picados, la pasta de tomate y los frijoles rojos. Dejar que suelte el hervor, reducir el fuego y cocinar a fuego lento, tapada, durante 40 minutos por lo menos, revolviendo ocasionalmente. Incorporar el chocolate rallado, cocer durante 3 minutos o hasta que se derrita.

3. Mientras, en una cacerola grande hervir agua a fuego alto con un poco de sal. Agregar la pasta y cocer siguiendo las instrucciones del paquete o hasta que esté "al dente".

4. Colar la pasta, devolver a la cacerola y revolver con la mantequilla y el perejil. Pasar a un platón caliente, o repartir en platos individuales. Bañar con la salsa. Espolvorear encima la paprika y servir de inmediato con cucharadas de crema agria.

Ingredientes   PORCIONES 4

2 cucharadas de aceite de oliva
1 cebolla, finamente picada
1 pimento rojo, sin semillas, rebanado
450g/ 1 lb de carne de res, molida
2 dientes de ajo, pelados, machacados
2 chiles rojos, sin semillas, finamente rebanados
Sal y pimienta negra, recién molida
400g/ 14 oz de tomates de lata, picados
2 cucharadas de pasta de tomate
400g/ 14 oz de frijoles rojos, de lata, colados
50g/ 2 oz de chocolate oscuro, rallado
350g/ 12 oz de fusilli, seco
un poco de mantequilla
2 cucharadas de perejil de hoja lisa, recién picado
Paprika, para decorar
Crema agria

Dato culinario

En esta receta mexicana, el chocolate añade suaves matices de sabor, color y un toque dulce, pero nadie notará que contiene chocolate a menos que se lo digas.

Pescados y mariscos

El pescado es maravilloso. Es bajo en grasas y se cuece rápido, por lo que es una excelente opción para una comida rápida, sana y deliciosa. Pruébalo asado, stir-fried, horneado o rostizado —cualquier método funciona muy bien—. El Ratatouille de caballa es una opción económica y llena de sabor, mientras que el Huachinango con pimientos asados te ofrece el máximo sabor con poco esfuerzo. Prueba también el Stir-fry de rape con chile y el Curry de pescado con coco.

Sardinas con grosella roja

1 Precalentar el grill de 2 a 3 minutos antes de comenzar, forrar la rejilla de la parrilla con papel aluminio.

2 En un tazón sobre una cacerola de agua hirviendo a fuego lento calentar la jalea hasta que esté suave. Agregar la ralladura de limón y el jerez, revolver hasta incorporar bien.

3 Enjuagar un poco las sardinas, secar con papel absorbente.

4 En una tabla para picar colocar las sardinas y con un cuchillo filoso hacer varios cortes en diagonal en la carne. Sazonar las cavidades con sal y pimienta.

5 Untar la marinada caliente contra la piel y en el interior de las cavidades.

6 Acomodar sobre la rejilla de la parrilla, cocer bajo el grill precalentado de 8 a 10 minutos o hasta que las sardinas estén cocidas.

7 Voltear las sardinas por lo menos una vez durante la cocción. Bañar ocasionalmente con el resto de la marinada de grosella y limón. Decorar con las grosellas. Servir de inmediato con ensalada y las rodajas de limón.

Ingredientes   PORCIONES 4

2 cucharadas de jalea de grosella roja
Ralladura fina de limón verde
2 cucharadas de jerez semiseco
450g/ 1 lb de sardinas frescas, limpias, sin cabezas
Sal de mar y pimienta negra, recién molida
Rodajas de limón verde, para decorar

Para acompañar:

Grosellas rojas, frescas
Ensalada verde, fresca

Nuestra sugerencia

Casi todos los pescados se venden ya limpios, pero es fácil hacerlo en casa. Con el lado del cuchillo que no tiene filo raspa las escamas desde la cola hacia la cabeza. Con un cuchillo filoso haz un corte a lo largo de la parte inferior. Raspa con cuidado para sacar las vísceras y enjuaga bien bajo el chorro de agua fría. Seca con papel absorbente.

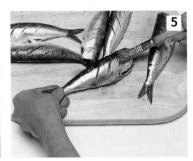

Ratatouille de caballa

1 Precalentar el horno a 190°C/ 375°F. Cortar la parte superior del pimiento rojo, retirar las semillas y la membrana, cortar en trozos grandes. Cortar la cebolla en rodajas gruesas.

2 En una sartén grande calentar el aceite y freír la cebolla junto con el ajo durante 5 minutos o hasta que comiencen a suavizarse.

3 Agregar los trozos de pimiento y las rebanadas de calabacita, freír durante 5 minutos más.

4 Incorporar los tomates picados con su jugo, cocinar durante 5 minutos más. Sazonar al gusto con sal y pimienta, pasar a un recipiente resistente al fuego.

5 Sazonar el pescado al gusto con sal y pimienta, acomodar sobre las verduras. Rociar con un poco de aceite de oliva en aerosol y bañar con el jugo de limón. Tapar y hornear durante 20 minutos.

6 Retirar la tapa, agregar las hojas de albahaca y regresar al horno durante 5 minutos. Servir de inmediato con cuscús o arroz con perejil.

Ingredientes   PORCIONES 4

1 pimiento rojo
1 cebolla morada
1 cucharada de aceite de oliva
1 diente de ajo, pelado, finamente rebanado
2 calabacitas, cortadas en rebanadas gruesas
400g/ 14 oz de tomates de lata, picados
Sal de mar y pimienta negra recién molida
4 caballas pequeñas, de 275g/ 10 oz cada una, limpias, sin cabezas
Aceite de oliva, en aerosol
Jugo de limón amarillo
12 hojas frescas de albahaca
Cuscús o arroz, mezclado con perejil picado

Dato culinario

El ratatouille es un platillo francés que tiene cebollas, calabacitas y, muchas veces, berenjena. Es un platillo muy versátil al que le puedes añadir muchas otras verduras. Y para darle el toque maestro puedes añadirle un poco de chile picado.

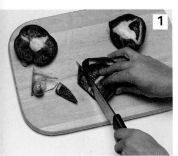

Salmón teriyaki

1   Con un cuchillo filoso cortar el salmón en rebanadas gruesas y colocarlas en un recipiente poco profundo. Mezclar la salsa teriyaki, el vinagre de arroz, la pasta de tomate, la salsa Tabasco, la ralladura de limón y sazonar. Verter la marinada sobre el salmón, cubrir holgadamente y dejar marinar en el refrigerador durante 30 minutos, volteando el salmón o bañándolo ocasionalmente con la marinada.

2   En un wok grande, calentar 2 cucharadas del aceite hasta que casi humee. Freír revolviendo la zanahoria durante 2 minutos, agregar los chícharos chinos y freír revolviendo durante 2 minutos más. Añadir los champiñones ostra, freír revolviendo durante 4 minutos, hasta que estén suaves. Con una cuchara coladora pasar las verduras a 4 platones y mantener calientes.

3   Retirar el salmón de la marinada, reservar ambos. Verter el resto del aceite al wok, calentar hasta que casi humee, freír el salmón de 4 a 5 minutos, volteando una vez durante la cocción o hasta que el pescado esté muy suave. Agregar la marinada, calentar bien durante 1 minuto. Colocar el salmón sobre las verduras y bañar con la marinada. Servir de inmediato.

Ingredientes   PORCIONES 4

450g/ 1 lb de filetes de salmón, sin piel
6 cucharadas de salsa teriyaki japonesa
1 cucharada de vinagre de vino de arroz
1 cucharada de pasta de tomate
Un poco de salsa Tabasco
Ralladura de ½ limón amarillo
Sal y pimienta negra, recién molida
4 cucharadas de aceite de cacahuate
1 zanahoria, pelada, cortada en juliana
125g/ 4 oz de chícharos chinos
125g/ de champiñones ostra, limpios

Consejo

La salsa teriyaki se vende preparada, pero si quieres hacerla tú mismo mezcla 2 cucharadas de sake, 2 cucharadas de mirin, 2 cucharadas de salsa de soya japonesa (como la marca Kikkoman) y 2 cucharadas de azúcar. Mezcla hasta que el azúcar se haya disuelto y usa como se indica anteriormente.

Ensalada de atún fresco

1 Lavar las hojas para ensalada, colocarlas en un tazón grande junto con los jitomates cherry y la rúcula, reservar.

2 En un wok, calentar el aceite hasta que casi humee. Añadir el atún, con la piel hacia abajo, y freír volteando una vez de 4 a 6 minutos o hasta que esté cocido y la carne se desmenuce fácilmente. Retirar del fuego y dejar reposar en el líquido de cocción durante 2 minutos antes de sacarlo.

3 Mientras hacer el aderezo: en un tazón pequeño o en una jarra con tapa de rosca colocar el aceite de oliva, la ralladura y el jugo de limón y la mostaza, batir o agitar hasta que estén bien incorporados. Sazonar al gusto con sal y pimienta.

4 Pasar el atún a una tabla limpia para picar, desmenuzar y añadirlo a la ensalada, revolver ligeramente.

5 Con un pelador para verduras cortar el queso parmesano en láminas. Repartir la ensalada entre 4 platos, bañar con el aderezo, esparcir encima las láminas de queso.

Ingredientes   PORCIONES 4

225g/ 8 oz de hojas mixtas para ensalada
225g/ 8 oz de jitomates cherry en mitades
125g/ 4 oz de hojas de rúcula, lavadas
2 cucharadas de aceite de cacahuate
550g/ 1 1/4 lb de filetes de atún, sin hueso, cada uno en 4 trozos pequeños
50g/ 2 oz de queso parmesano, en trozo

Para el aderezo:

8 cucharadas de aceite de oliva
Ralladura y jugo de 2 limones amarillos, pequeños
1 cucharada de mostaza de grano entero
Sal y pimienta negra, recién molida

Nuestra sugerencia

En muchos supermercados encuentras bolsas de hojas mixtas para ensalada. Aunque pueden parecer costosas, en realidad el gasto es poco y te ahorran tiempo. Enjuaga las hojas antes de usarlas.

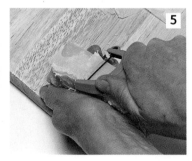

Hamburguesas de atún

1 En una cacerola grande cocer las papas, en agua hirviendo, hasta que estén suaves. Escurrir, machacar junto con 40g/ 1 ½ oz de la mantequilla y la leche. Pasar a un tazón grande. Colar el atún, desechar el aceite y desmenuzar en el tazón de las papas. Revolver para mezclar.

2 Agregar las cebollas de cambray y el perejil a la mezcla, sazonar al gusto con sal y pimienta. Añadir 1 cucharada del huevo batido para unir la mezcla. Refrigerar durante 1 hora por lo menos.

3 Con las manos formar 4 hamburguesas grandes de la mezcla. Primero cubrir las hamburguesas con la harina sazonada, barnizarlas con el resto del huevo batido, dejar escurrir el exceso de huevo. Finalmente, revolcarlas uniformemente en el pan molido, presionando con las manos de ser necesario. Si el tiempo lo permite, con plástico adherente cubrir las hamburguesas empanizadas y refrigerar durante 30 minutos antes de cocerlas para que estén muy firmes.

4 En una sartén calentar un poco del aceite, freír las hamburguesas de 2 a 3 minutos por lado hasta que estén doradas, añadir más aceite si hace falta. Escurrir sobre papel absorbente y servir calientes en los panecillos, con las papas a la francesa, la ensalada mixta y el chutney.

Ingredientes   RINDE 8

450g/ 1 lb de papas, peladas, cortadas en trozos
50g/ 2 oz de mantequilla
2 cucharadas de leche
400g/ 14 oz de atún de lata, en aceite
1 cebolla de cambray, finamente picada
1 cucharada de perejil, recién picado
Sal y pimienta negra, recién molida
2 huevos, batidos
2 cucharadas de harina común, sazonada
125g/ 4 oz de pan molido blanco, fresco
4 cucharadas de aceite vegetal
4 panecillos con semillas de ajonjolí

Para acompañar:
Papas a la francesa
Ensalada mixta
Chutney de jitomate (conserva agridulce)

Nuestra sugerencia
Cuela bien las papas y sécalas a fuego muy lento antes de machacarlas para asegurar que la mezcla no esté demasiado suave y puedas darle forma.

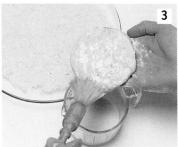

Stir-fry de rape con chile

1   En una cacerola hervir agua con un poco de sal, y agregar la pasta. Revolver, dejar que suelte el hervor a fuego alto y cocer durante 8 minutos o hasta que esté "al dente". Colar bien y reservar.

2   Para la marinada, en un recipiente mezclar el ajo rebanado, la salsa de soya oscura, la ralladura y el jugo de limón, la salsa de chile dulce y el aceite de oliva; añadir los trozos de pescado. Revolver hasta que el pescado esté ligeramente cubierto por la marinada, tapar y refrigerar durante 30 minutos por lo menos, bañar el pescado con la marinada ocasionalmente.

3   En un wok, calentar el aceite hasta que casi humee. Retirar el rape de la marinada, raspar el fondo para sacar la mayor cantidad de marinada posible, añadir al wok y freír revolviendo durante 3 minutos. Añadir el chile verde y las semillas de ajonjolí, freír revolviendo la mezcla durante 1 minuto más.

4   Incorporar la pasta y la marinada, freír revolviendo de 1 a 2 minutos o hasta que se caliente bien. Espolvorear la pimienta de Cayena y decorar con los chiles verdes. Servir de inmediato.

Ingredientes   PORCIONES 4

350g/ 12 oz de pasta fusilli o en espirales
550g/ 1 1/4 lb de rape, cortado en trozos
2 cucharadas de aceite de cacahuate
1 chile verde, sin semillas, cortado en juliana
2 cucharadas de semillas de ajonjolí
Pizca de pimienta de Cayena
Chiles verdes rebanados, para decorar

Para la marinada:

1 diente de ajo, pelado, picado
2 cucharadas de salsa de soya oscura
Ralladura y jugo de 1 limón verde
1 cucharada de salsa de chile dulce
4 cucharadas de aceite de oliva

Salmonete asado con salsa de naranja y anchoas

1 Precalentar el grill y forrar la rejilla con papel aluminio justo antes de cocinar. Con un cuchillo filoso pelar las naranjas sobre un tazón para recolectar el jugo. Cortar en rebanadas finas y reservar. Si es necesario añadir 150ml de jugo extra.

2 En una tabla para picar colocar el pescado, hacer 2 cortes diagonales en la parte más gruesa de los costados del pescado. Sazonar bien, por dentro y por fuera, con sal y pimienta. Insertar una ramita de romero y unas cuantas rebanadas de limón en la cavidad de cada uno. Barnizar el pescado con un poco del aceite de oliva y cocer bajo el grill precalentado de 4 a 5 minutos por lado. La carne debe separarse fácilmente del hueso.

3 En una cacerola calentar el resto del aceite, freír ligeramente el ajo y las anchoas de 3 a 4 minutos. No dejar que se doren. Agregar el romero picado y suficiente pimienta negra. Las anchoas son saladas, no hace falta añadir más sal. Incorporar las rebanadas de naranja con su jugo y el jugo de limón. Cocinar a fuego lento hasta calentar bien. Verter la salsa sobre el salmonete y servir de inmediato.

Ingredientes   PORCIONES 4

2 naranjas
4 salmonetes de 175g/ 6 oz, limpios, sin escamas
Sal y pimienta negra, recién molida
4 ramitas de romero, fresco
1 limón amarillo, rebanado
2 cucharadas de aceite de oliva
2 dientes de ajo, pelados, machacados
6 filetes de anchoa en aceite, colados, picados grueso
2 cucharaditas de romero, recién picado
1 cucharadita de jugo de limón amarillo

Nuestra sugerencia

El salmonete es un pez muy común y su tamaño puede variar mucho —a veces se encuentran pescados muy grandes—. Puedes sustituirlo por mújol o huachinango.

Huachinango con pimientos asados

1 Precalentar el grill a intensidad alta, forrar la rejilla con papel aluminio. Cortar la parte superior de los pimientos y cortar en cuartos. Retirar las semillas y la membrana, colocar sobre la rejilla forrada y cocer de 8 a 10 minutos, volteando frecuentemente, hasta que la piel se chamusque. Retirar de la rejilla, colocar en una bolsa de plástico y reservar. Cuando estén fríos quitar la piel y rebanar finamente.

2 Cubrir la rejilla con otra lámina de papel aluminio, colocar encima los filetes de huachinango, con la piel hacia arriba. Sazonar al gusto con sal y pimienta, barnizar con un poco del aceite de oliva. Cocer de 10 a 12 minutos, volteando una vez y barnizando de nuevo con el aceite de oliva.

3 En una cacerola pequeña calentar la crema y el vino, dejar que suelte el hervor y cocinar a fuego lento durante 5 minutos hasta que la salsa espese un poco. Añadir el eneldo, sazonar al gusto e incorporar los pimientos rebanados. Acomodar los filetes de huachinango sobre platos calientes, bañar con la salsa de crema y pimientos. Decorar con las ramitas de eneldo y servir de inmediato con tagliatelle recién cocido.

Ingredientes   PORCIONES 4

1 pimiento rojo
1 pimiento verde
4–8 filetes de huachinango, según tamaño, 450g/ 1 lb aproximadamente
Sal de mar y pimienta negra, recién molida
1 cucharada de aceite de oliva
5 cucharadas de crema ácida
125ml/ 4 fl oz de vino blanco
1 cucharada de eneldo, recién picado
Tagliatelle o tallarines recién cocidos

Consejo

Este platillo también es delicioso con diferentes verduras asadas —prueba con pimientos de distintos colores, cebollas moradas, calabacitas y berenjenas–. Corta las verduras en rebanadas o gajos y ásalas como se indica en la receta. Pícalas o rebánalas cuando no estén tan calientes y puedas manipularlas.

Brochetas de pescado a la parrilla

1 Precalentar el grill a intensidad alta 2 minutos antes de usarlo. Forrar la rejilla con una lámina de papel aluminio.

2 Si se utilizan brochetas de madera, remojarlas primero en agua fría durante 30 minutos para evitar que se quemen durante la cocción.

3 Mientras preparar la salsa. En una cacerola pequeña calentar el caldo, la salsa cátsup, la salsa inglesa, el vinagre, el azúcar, la salsa Tabasco y el puré de tomate. Revolver bien y dejar hervir a fuego lento durante 5 minutos.

4 Escurrir las brochetas, encajar alternadamente los trozos de pescado, las cebollas en cuartos y los jitomates cherry.

5 Sazonar las brochetas al gusto con sal y pimienta, barnizar con la salsa. Asar bajo el grill precalentado de 8 a 10 minutos, bañando ocasionalmente con la marinada durante la cocción. Voltear las brochetas para que se cuezan bien y de manera uniforme. Servir de inmediato con cuscús.

Ingredientes   PORCIONES 4

459g/ 1 lb de filetes de arenque o
　　caballa, cortados en trozos
2 cebollas moradas pequeñas,
　　peladas, cortadas en cuartos
16 jitomates cherry
Sal y pimienta negra, recién molida

Para la salsa:

150ml de caldo de pescado
5 cucharadas de salsa cátsup
2 cucharadas de salsa inglesa
2 cucharadas de vinagre de vino
2 cucharadas de azucar morena
2 gotas de salsa Tabasco
2 cucharadas de puré de tomate
Cuscús

Consejo

Este platillo es ideal para servirlo como cena ligera en verano. En lugar de cocinar dentro de la casa, asa las brochetas en la parrilla para darles un delicioso sabor a carbón.

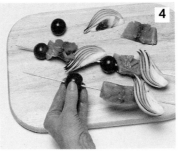

Curry de pescado con coco

1 En una sartén grande colocar 1 cucharada del aceite, freír la cebolla, el pimiento y el ajo durante 5 minutos o hasta que estén suaves. Verter el resto del aceite, la pasta de curry, el jengibre y el chile, freír durante 1 minuto más.

2 Verter la leche de coco, dejar que suelte el hervor, reducir el fuego y cocinar a fuego lento durante 5 minutos, revolviendo ocasionalmente. Añadir el rape a la sartén, continuar cocinando a fuego lento de 5 a 10 minutos, o hasta que el pescado esté suave sin que se cueza demasiado.

3 Mientras, en una cacerola con agua hirviendo con un poco de sal cocer el arroz durante 15 minutos, o hasta que esté suave. Colar bien y pasarlo a un recipiente para servir.

4 Incorporar el cilantro picado y el chutney al curry de pescado y sazonar al gusto con sal y pimienta. Servir el curry sobre el arroz cocido, decorar con las rodajas de limón y las ramitas de cilantro, servir de inmediato con cucharadas del yogur griego y el pan naan caliente.

Ingredientes   PORCIONES 4

2 cucharadas de aceite de girasol
1 cebolla, picada muy finamente
1 pimiento amarillo, sin semillas, picado finamente
1 diente de ajo, pelado, machacado
1 cucharada de pasta de curry, suave
Raíz de jengibre de 2.5cm, pelada, rallada
1 chile rojo, sin semillas, finamente picado
400ml/ 14 fl oz de leche de coco, de lata
700g/ 1 ½ lb de pescado blanco firme, como filetes de rape, sin piel, cortados en trozos
225g/ 8 oz de arroz basmati (de grano largo)
1 cucharada de cilantro, recién picado
1 cucharada de chutney de mango (conserva agridulce)
Sal y pimienta negra, recién molida

Para decorar:
Rodajas de limón verde
Ramitas cilantro fresco

Para servir:
Yogur griego
Pan naan caliente (pan plano, típico de la cocina hindú)

Eglefino con costra de aceitunas

1 Precalentar el horno a 190°C/ 375°F. En un tazón pequeño colocar las aceitunas negras junto con el pan molido y el estragón picado.

2 Agregar el ajo a las aceitunas junto con las cebollas de cambray picadas y el aceite de oliva. Mezclar ligeramente.

3 Secar los filetes con un paño limpio húmedo o con papel absorbente, acomodar sobre una charola ligeramente engrasada.

4 Servir cucharadas de la mezcla del pan molido sobre cada filete, presionar la mezcla ligera y uniformemente sobre el pescado.

5 Hornear de 20 a 25 minutos o hasta que el pescado esté bien cocido y la costra esté dorada. Servir de inmediato con las zanahorias y los ejotes recién cocidos.

Ingredientes   PORCIONES 4

12 aceitunas negras, sin hueso, finamente picadas

75g/ 3 oz de pan blanco molido, fresco

1 cucharada de estragón, recién picado

1 diente de ajo, pelado, machacado

3 cebollas de cambray, finamente picadas

1 cucharada de aceite de oliva

4 filetes gruesos de eglefino, de 175g/ 6 oz, sin piel

Para acompañar:

Zanahorias, recién cocidas

Ejotes, recién cocidos

Consejo

Experimenta añadiendo otros ingredientes a la costra. Agregar 2 dientes de ajo tostados aporta un delicioso sabor. Machaca el ajo y añádelo a la mezcla del pan molido. También puedes usar una mezcla de pan molido blanco e integral para dar un sabor diferente.

Filetes de bacalao con jengibre

1 Precalentar el grill y forrar la parrilla con una lámina de papel aluminio. Rallar grueso el jengibre. Cortar las cebollas de cambray en tiras finas.

2 Mezclar las cebollas de cambray, el jengibre, el perejil picado y el azúcar. Agregar 1 cucharada de agua.

3 Con un paño secar los filetes. Sazonar al gusto con sal y pimienta. Colocar cada filete en un cuadrado de papel aluminio de 20.5 x 20.5cm.

4 Colocar la mezcla de la cebolla de cambray y el jengibre sobre cada pescado.

5 Cortar la mantequilla en cubos pequeños y colocar encima del pescado.

6 Doblar holgadamente el papel sobre los filetes para encerrarlos y hacer un paquete.

7 Colocar bajo el grill precalentado y asar de 10 a 12 minutos o hasta que estén cocidos y la carne haya tomado un color opaco.

8 Colocar los paquetes de pescado sobre platos individuales. Servir de inmediato con verduras recién cocidas.

Ingredientes   PORCIONES 4

Raíz de jengibre fresca de 2.5cm, pelada
4 cebollas de cambray
2 cucharaditas de perejil, recién picado
1 cucharada de azúcar morena
4 filetes de bacalao gruesos, de 175g/ 6 oz
Sal y pimienta negra, recién molida
25g/ 1 oz de mantequilla, reducida en grasas
Verduras recién cocidas

Consejo

¿Qué te parece servir este platillo con papitas cambray en papillote (empapeladas)? Coloca las papitas sobre papel encerado de doble grosor junto con unos cuantos dientes de ajo pelados. Baña con un poco de aceite de oliva y sazona bien con sal y pimienta negra. Dobla las orillas del papel hacia dentro y asa en el horno a 180°C/ 350°F de 40 a 50 minutos antes de servir.

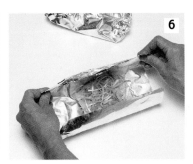

Bacalao envuelto en pancetta

1 Secar los filetes de bacalao, envolver cada uno con la pancetta. Asegurar cada filete con un palillo y reservar.

2 Colar las alcaparras, remojar en agua fría durante 10 minutos para eliminar el exceso de sal, colar y reservar.

3 En una sartén grande calentar el aceite, sellar los filetes envueltos de bacalao durante 3 minutos por lado, volteando con cuidado con una espátula para no romperlos.

4 Reducir el fuego y continuar la cocción de 2 a 3 minutos más o hasta que el pescado esté bien cocido.

5 Mientras, en una cacerola pequeña colocar las alcaparras, el jugo de limón y el aceite de oliva. Espolvorear encima pimienta molida.

6 Colocar la cacerola a fuego lento y dejar que suelte el hervor, cocinar a fuego lento de 2 a 3 minutos, revolviendo constantemente.

7 Cuando el pescado esté cocido, decorarlo con el perejil y servir con el aderezo caliente de alcaparras, verduras recién cocidas y papitas de cambray.

Ingredientes PORCIONES 4

4 filetes de bacalao, gruesos, de 175g/ 6 oz cada uno
4 rebanadas de pancetta, muy finas (también se puede usar tocino)
3 cucharadas de alcaparras, en vinagre
1 cucharada de aceite vegetal o de girasol
2 cucharadas de jugo de limón amarillo
1 cucharada de aceite de oliva
pimienta negra, recién molida
1 cucharada de perejil, recién picado, para decorar

Para acompañar:

Verduras, recién cocidas
Papitas de cambray

Dato culinario

Originaria de Italia, la pancetta es panza de cerdo curada y muchas veces ahumada que se vende en finas rebanadas o picada en cubos pequeños. Las rebanadas de pancetta pueden usarse para envolver aves o pescados, mientras que la pancetta picada se usa en salsas. Para cocer la pancetta picada, fríela de 2 a 3 minutos y reserva. Usa el aceite para sellar la carne o freír cebollas y devuelve la pancetta a la sartén.

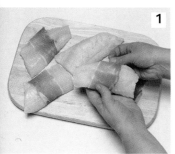

Platija con cítricos

1 En una sartén grande calentar el aceite y saltear la cebolla, el pimiento y el arroz durante 2 minutos.

2 Agregar el jugo de naranja y de limón, dejar que suelte el hervor. Reducir el fuego, verter la mitad del caldo y cocinar a fuego lento de 15 a 20 minutos o hasta que el arroz esté suave, añadiendo el resto del caldo si es necesario.

3 Precalentar el grill. Rociar con un poco del aceite en aerosol la base de la sartén para el grill. Colocar los filetes de platija en la base y reservar.

4 Rallar finamente la cáscara de la naranja y del limón. Exprimir el jugo de la mitad de cada uno.

5 En una cacerola pequeña derretir la mantequilla o el sustituto. Agregar la ralladura, el jugo y la mitad del estragón, barnizar los filetes con la mezcla.

6 Cocer el pescado, sólo por un lado, bajo el grill a fuego medio de 4 a 6 minutos, bañando constantemente.

7 Cuando el arroz esté cocido incorporar el resto del estragón y sazonar al gusto con sal y pimienta. Decorar el pescado con las rodajas de limón y servir de inmediato con el arroz.

Ingredientes PORCIONES 4

1 cucharadita de aceite de girasol
1 cebolla, picada
1 pimiento anaranjado, sin semillas, picado
175g/ 6 oz de arroz de grano largo
150ml de jugo de naranja
2 cucharadas de jugo de limón amarillo
250ml/ 8 fl oz de caldo de verduras
aceite en aerosol
4 filetes de platija, de 175g/ 6 oz, sin piel
1 naranja
1 limón amarillo
25g/ 1 oz de mantequilla, baja en grasas o sustituto de mantequilla, bajo en grasas
2 cucharadas de estragón, recién picado
Sal y pimienta negra, recién molida
Rodajas de limón amarillo, para decorar

Consejo

La platija se pesca principalmente en el mar del Norte y en aguas de Islandia. Se compra fresca o congelada, entera o fileteada y puedes freírla, pocharla o asarla. En su lugar puedes usar lenguado o fletán, aunque son más costosos.

Guisado de fletán

1 En una cacerola grande derretir la mantequilla o la margarina, agregar las cebollas y el pimiento, freír durante 5 minutos o hasta que estén suaves.

2 Cortar las papas peladas en cubos medianos, enjuagar ligeramente y agitar para secarlas, agregar a la cacerola de la cebolla y el pimiento. Añadir las calabacitas y cocer, revolviendo frecuentemente, de 2 a 3 minutos.

3 Espolvorear la harina, la paprika y el aceite vegetal sobre la cacerola, cocer revolviendo constantemente, durante 1 minuto. Verter 150ml del vino, todo el caldo y los tomates picados, dejar que suelte el hervor.

4 Agregar la alhahaca a la cacerola, sazonar al gusto con sal y pimienta, tapar. Hervir a fuego lento durante 15 minutos, añadir el pescado, el resto del vino y cocinar a fuego muy lento de 5 a 7 minutos, o hasta que el pescado y las verduras estén apenas suaves. Decorar con las ramitas de albahaca y servir de inmediato con el arroz recién cocido.

Ingredientes   PORCIONES 6

50g/ 2 oz de mantequilla o margarina
2 cebollas grandes, rebanadas en aros
1 pimiento rojo, sin semillas, picado grueso
450g/ 1 lb de papas, peladas
450g/ 1 lb de calabacitas cortadas en rebanadas gruesas
2 cucharadas de harina común
1 cucharada de paprika
2 cucharaditas de aceite vegetal
300ml de vino blanco
150ml de caldo de pescado
400g/ 14 oz de tomates de lata, picados
2 cucharadas de albahaca, recién picada
Sal y pimenta negra, recién molida
450g/ 1 lb de filete de fletán, sin piel, cortado en trozos medianos
Ramitas de albahaca fresca, para decorar
Arroz recién cocido

Dato culinario

El fletán es un pescado plano con carne blanca y firme cuya textura es parecida a la de la carne, lo cual hace que sea ideal para este guisado.

Stir-fry de langostinos crujientes

1 En un tazón pequeño mezclar la salsa de soya, la maicena y el azúcar, reservar.

2 En un wok grande, calentar 3 cucharadas del aceite hasta que casi humee. Agregar los langostinos y freír revolviendo durante 4 minutos, o hasta que tengan un color rosa parejo. Con una cuchara coladora pasar los langostinos a un plato y mantener calientes en el horno a temperatura baja.

3 Verter el resto del aceite al wok, cuando apenas esté humeando agregar las zanahorias y el jengibre, freír revolviendo durante 1 minuto o hasta que estén ligeramente suaves; añadir los chícharos chinos y freír durante 1 minuto más. Agregar los espárragos y freír revolviendo durante 1 minutos o hasta que estén suaves.

4 Incorporar el germen de soya y la col china, freír revolviendo durante 2 minutos o hasta que las hojas estén ligeramente marchitas. Verter la mezcla de la salsa de soya, devolver los langostinos al wok. Freír revolviendo a fuego medio hasta que esté muy caliente, agregar el aceite de ajonjolí, revolver por última vez y servir de inmediato.

Ingredientes   PORCIONES 4

3 cucharadas de salsa de soya
1 cucharada de maicena
Pizca de azúcar
6 cucharadas de aceite de cacahuate
450g/ 1 lb de langostinos tigre, crudos, pelados, cortados en mitades a lo largo
125g/ 4 oz de zanahorias, peladas, cortadas en juliana
Raíz de jengibre fresca de 2.5cm, pelada, cortada en juliana
125g/ 4 oz de chícharos chinos
125g/ 4 oz de espárragos, cortados en trozos
125g/ 4 oz de germen de soya
1/4 cabeza de col china, cortada en tiras
2 cucharaditas de aceite de ajonjolí

Nuestra sugerencia

No dejes que la larga lista de ingredientes te intimide. Como siempre que cocinas en un wok, una buena preparación te ahorra mucho tiempo. Es primordial que cortes todo en piezas pequeñas de tamaños uniformes y que tengas todo listo antes de comenzar a cocinar.

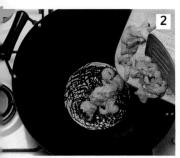

Langostinos con coco

1. En un wok grande calentar el aceite hasta que casi humee, ladear el wok para cubrir las paredes. Agregar los langostinos y freír revolviendo a fuego alto de 4 a 5 minutos, o hasta que estén dorados uniformemente. Con una cuchara coladora pasar los langostinos a un plato y mantener calientes en el horno a baja temperatura.

2. Añadir las cebollas de cambray al wok junto con el ajo y el jengibre, freír revolviendo durante 1 minuto. Agregar los hongos y freír durante 3 minutos más. Con una cuchara coladora pasar la mezcla de los hongos a un plato y mantener calientes en el horno a baja temperatura.

3. Verter el vino y la crema de coco al wok, dejar que suelte el hervor y cocinar a fuego alto durante 4 minutos, hasta que reduzca ligeramente.

4. Regresar la mezcla de los hongos al wok junto con los langostinos, dejar que suelte el hervor y cocinar a fuego lento durante 1 minuto, revolviendo ocasionalmente hasta que estén muy calientes. Incorporar el cilantro recién picado y sazonar al gusto con sal y pimienta. Servir de inmediato con el arroz aromático tai recién cocido.

Ingredientes   PORCIONES 4

2 cucharadas de aceite de cacahuate
450g/ 1 lb de langostinos grandes, pelados
2 manojos de cebolla de cambray, en rebanadas gruesas
1 diente de ajo, pelado, picado
Raíz de jengibre fresca de 2.5cm, pelada, cortada en juliana
125g/ 4 oz de hongos shiitake frescos, enjuagados, en mitades
150ml de vino blanco seco
200ml/ 7 fl oz de crema de coco
4 cucharadas de cilantro, recién picado
Sal y pimienta negra, recién molida
Arroz aromático tai recién cocido

Nuestra sugerencia

Si no encuentras crema de coco ralla 50g/ 2 oz de coco en bloque en 175ml/ 6 fl oz de agua caliente. Revuelve hasta que se disuelva por completo y usa como se indica.

Mejillones con salsa cremosa de ajo y azafrán

1 Limpiar los mejillones en suficiente agua fría y quitar las barbas y las impurezas adheridas a las conchas. Desechar los mejillones que estén abiertos o dañados. Colocar en un tazón grande, cubrir con agua fría y dejar en el refrigerador hasta usarlos si se limpian con antelación.

2 En una cacerola grande verter el vino y dejar que suelte el hervor. Colar los mejillones y pasarlos a la cacerola, tapar y cocer, agitando la cacerola periódicamente, de 6 a 8 minutos o hasta que los mejillones se hayan abierto.

3 Eliminar los mejillones cerrados. Con una cuchara coladora retirar los mejillones abiertos de la cacerola y mantener calientes. Reservar el líquido de cocción.

4 En una sartén pequeña calentar el aceite de oliva, cocer ligeramente los chalotes y el ajo de 2 a 3 minutos, hasta que estén suaves. Agregar el líquido reservado de cocción junto con el orégano picado y cocer de 3 a 4 minutos más. Incorporar el azafrán y la crema, calentar bien. Sazonar al gusto con sal y pimienta. Colocar unos cuantos mejillones en tazones individuales y bañar con la salsa de azafrán. Servir de inmediato con suficiente pan crujiente.

Ingredientes   PORCIONES 4

700g/ 1 ½ lb de mejillones frescos, vivos
300ml de vino blanco seco, de buena calidad
1 cucharada de aceite de oliva
1 chalote, pelado, finamente picado
2 dientes de ajo, pelados, machacados
1 cucharada de orégano, recién picado
2 hebras de azafrán
150ml de crema
Sal y pimienta negra, recién molida
Pan crujiente fresco

Nuestra sugerencia

Ahora, los mejillones son cultivados y se encuentran durante casi todo el año. Sin embargo, intenta comprarlos siempre el día que vayas a consumirlos. Colócalos en un tazón con agua fría, refrigéralos lo más pronto que puedas y cámbiales el agua por lo menos cada dos horas. Si no encuentras mejillones frescos usa los que se venden precocidos.

Pastelitos de cangrejo tai

1 En un tazón colocar la carne de cangrejo junto con el cilantro, el chile, la cúrcuma, el jugo de limón, el azúcar, el jengibre, el cilantro picado, el limoncillo, la harina y las yemas de huevo. Mezclar bien.

2 Dividir la mezcla en 12 porciones iguales, con cada una formar un pastelito de 5cm de diámetro. Batir ligeramente las claras de huevo y pasar a un recipiente. En un plato aparte colocar el pan molido.

3 Remojar cada pastelito en las claras, después en el pan molido, volteando para cubrir por ambos lados. Colocarlos sobre un plato, cubrir y enfriar en el refrigerador hasta la cocción.

4 En una sartén grande calentar el aceite. Añadir 6 pastelitos y freír durante 3 minutos por lado, o hasta que estén crujientes y dorados por fuera y bien cocidos. Retirar, escurrir sobre papel absorbente y mantener calientes mientras se cuece el resto. Acomodar en platos, decorar con las rodajas de limón y servir de inmediato con la ensalada.

Ingredientes   PORCIONES 4

225g/ 8 oz de carne de cangrejo, blanca y oscura (equivale aproximadamente a la carne de 2 cangrejos medianos)
1 cucharadita de cilantro, molido
1/4 cucharadita de chile en polvo
1/4 cucharadita de cúrcuma, molida (condimento parecido al azafrán y al jengibre)
2 cucharaditas de jugo de limón verde
1 cucharadita de azúcar morena
Raíz de jengibre fresca de 2.5cm, pelada, rallada
3 cucharadas de cilantro, recién picado
2 cucharaditas de limoncillo, finamente picado
2 cucharadas de harina común
2 huevos, separados
50g/ 2 oz de pan blanco molido, fresco
3 cucharadas de aceite de cacahuate
Rodajas de limón amarillo, para decorar
Hojas mixtas para ensalada

Aves y carne

Stir-fries que se preparan rápido, guisados irresistibles, platillos horneados: cualquiera de las recetas de esta selección es perfecta para una sencilla comida deliciosa. El Pollo stir-fried con limón llenará tu cocina con un maravilloso aroma a cítricos y la Carne de res con paprika se volverá una de tus favoritas. Y los niños no podrán resistirse a las recetas consentidas de la familia, como las Salchichas de cerdo con gravy de cebolla y el Pay Sheperd.

Curry aromático de pollo

1 En un colador poner las lentejas y enjuagar bien bajo el chorro de agua fría.

2 En una cacerola grande a fuego lento asar en seco las semillas de cilantro y de comino durante 30 segundos aproximadamente. Incorporar el curry en pasta.

3 Añadir las lentejas a la cacerola junto con la hoja de laurel y la cáscara de limón, verter el caldo.

4 Revolver, dejar que suelte el hervor. Reducir el fuego, tapar parcialmente la cacerola y cocinar a fuego lento durante 5 minutos, revolviendo ocasionalmente.

5 Con palillos asegurar los muslos de pollo para que mantengan su forma. Colocarlos en la cacerola y tapar parcialmente. Cocinar a fuego lento durante 15 minutos.

6 Incorporar las espinacas y cocinar durante 25 minutos más o hasta que el pollo esté muy suave y la salsa esté espesa.

7 Retirar la hoja de laurel y la cáscara de limón. Incorporar el cilantro y el jugo de limón, sazonar al gusto con sal y pimienta. Retirar los palillos. Servir de inmediato con el arroz y un poco de yogur natural.

Ingredientes   PORCIONES 4

25g/ 4 oz de lentejas rojas
2 cucharaditas de cilantro, molido
½ cucharadita de semillas de comino
2 cucharaditas de curry en pasta, suave
1 hoja de laurel
1 tira pequeña de cáscara de limón amarillo
600ml de caldo de pollo o de verduras
8 muslos de pollo, sin piel
175g/ 6 oz de hojas de espinacas, enjuagadas, picadas
1 cucharada de cilantro, recién picado
2 cucharaditas de jugo de limón amarillo
Sal y pimienta negra, recién molida

Para acompañar:

Arroz, recién cocido
Yogur natural, bajo en grasas

Nuestra sugerencia

Asar las especias en seco aumenta su sabor y es una técnica que puedes usar con muchos platillos. Es una excelente manera de añadir sabor a la carne o al pescado.

Pollo stir-fried con limón

1 Con un cuchillo filoso quitar la grasa del pollo y desechar, cortar la carne en tiras finas de 5cm de largo y 1cm de ancho. Colocar el pollo en un recipiente poco profundo. Batir ligeramente la clara de huevo con 1 cucharada de maicena hasta que esté suave. Verter sobre las tiras de pollo y mezclar bien para cubrir de manera uniforme. Dejar marinar en el refrigerador durante 20 minutos por lo menos.

2 Colar el pollo y secar con papel absorbente. En un wok o una sartén grande, calentar el aceite y agregar el pollo, freír revolviendo de 1 a 2 minutos o hasta que tome un color blanco. Con una cuchara coladora retirar el pollo del wok y reservar.

3 Limpiar el wok con un paño y regresar al fuego. Añadir el caldo de pollo, el jugo de limón, la salsa de soya, el vino de arroz chino o el jerez, el azúcar, el ajo y las hojuelas de chile, dejar que suelte el hervor. Diluir el resto de la maicena con 1 cucharada de agua e incorporar al caldo. Cocinar a fuego lento durante 1 minuto.

4 Regresar el pollo al wok, continuar cocinando a fuego lento de 2 a 3 minutos más, o hasta que el pollo esté suave y la salsa se haya espesado. Decorar con las tiras de cáscara de limón y las rebanadas de chile rojo. Servir de inmediato.

Ingredientes   PORCIONES 4

350g/ 12 oz de pechuga de pollo, sin hueso, sin piel
1 clara de huevo grande
5 cucharadas de maicena
3 cucharadas de aceite vegetal o de cacahuate
150ml de caldo de pollo
2 cucharadas de jugo de limón verde, fresco
2 cucharadas de salsa de soya clara
1 cucharada de vino de arroz chino o jerez seco
1 cucharada de azúcar
2 dientes de ajo, pelados, finamente picados
1/4 cucharadita de hojuelas de chile seco, o al gusto

Para decorar:

Tiras de cáscara de limón verde
Rebanadas de chile rojo

Dato culinario

Las hojuelas de chile son chiles rojos deshidratados y machacados que se usan mucho en China, donde se ven largos cordones de chiles rojos secándose al sol.

Curry de pollo creole

1 Precalentar el horno a 190°C/ 375°F. En un procesador de alimentos colocar la mitad del ajo junto con la sal, la ralladura de limón y las hierbas frescas, procesar para formar una pasta.

2 Quitar la piel del pollo (opcional) y hacer pequeñas incisiones en la carne. Insertar el resto del ajo en los cortes y untar con la pasta de hierbas preparada. Colocar en un plato, tapar holgadamente y dejar marinar en el refrigerador durante 30 minutos por lo menos.

3 En una sartén calentar el aceite, añadir el pollo y dorar de manera uniforme. Retirar y colocar en un recipiente resistente al fuego. Agregar el curry en pasta a la sartén con la pasta de tamarindo, la salsa inglesa y el azúcar, cocinar revolviendo durante 2 minutos. Agregar los trozos de camote junto con el jugo y el caldo y dejar que suelte el hervor. Cocinar ligeramente, revolviendo, durante 2 minutos y añadir las hojas de curry, verter sobre el pollo.

4 Tapar el recipiente y hornear durante 30 minutos. Añadir los chícharos y hornear de 5 a 8 minutos más o hasta que el pollo esté bien cocido. Servir espolvoreado con el cilantro picado.

Ingredientes   PORCIONES 4 A 6

8 dientes de ajo, pelados, cortados a la mitad
½ cucharadita de sal
1 cucharada de ralladura de limón amarillo o verde
1 cucharada de hojas de tomillo frescas
1 cucharada de hojas de orégano frescas
2 cucharaditas de cilantro, recién picado
4 muslos de pollo
2 cucharadas de aceite vegetal
1 cucharada de curry, en pasta
1 cucharada de tamarindo, en pasta
1 cucharada de salsa inglesa
2 cucharaditas de azúcar morena
350g/ 12 oz de camotes, pelados, cortados en trozos pequeños
250ml/ 8 fl oz de jugo de naranja o de mango
150ml de caldo de pollo
Unas cuantas hojas de curry
100g/ 3 ½ oz de chícharos tipo sugar snap
2 cucharadas de cilantro, recién picado, para decorar

Consejo

Puedes usar tamarindo deshidratado en lugar del jugo de naranja y el caldo. Remoja 75g/ 3 oz de tamarindo en 350ml/ 12 fl oz de agua.

Pollo con hongos porcini y crema

1 En una sartén grande de base gruesa calentar el aceite de oliva, agregar las pechugas de pollo, con la piel hacia abajo, freír durante 10 minutos aproximadamente o hasta que estén bien doradas. Retirar las pechugas y reservar. Añadir el ajo, revolver en los jugos de la sartén y freír durante 1 minuto.

2 Verter el vermut o el vino blanco a la sartén, sazonar al gusto con sal y pimienta. Regresar el pollo a la sartén. Dejar que suelte el hervor, reducir el fuego y cocinar a fuego lento durante 20 minutos, o hasta que esté suave.

3 En otra sartén calentar la mantequilla, añadir los hongos rebanados. Freír revolviendo durante 5 minutos o hasta que los hongos estén dorados y tiernos.

4 Agregar los hongos o las setas y el líquido al pollo. Sazonar al gusto, incorporar el orégano picado. Revolver ligeramente y cocinar durante 1 minuto más. Pasar a un platón grande, decorar con las ramitas de albahaca fresca. Servir de inmediato con arroz.

Ingredientes   PORCIONES 4

2 cucharadas de aceite de oliva
4 pechugas de pollo, sin hueso, de preferencia de granja
2 dientes de ajo, pelados, machacados
150ml de vermut seco o vino blanco seco
Sal y pimienta negra, recién molida
25g/ 1 oz de mantequilla
450g/ 1 lb de hongos porcini o setas silvestres, rebanados grueso
1 cucharada de orégano, recién picado
Ramitas de albahaca fresca, para decorar (opcional)
Arroz recién cocido, para servir

Nuestra sugerencia

Si vas a usar champiñones secos, cúbrelos con agua casi hirviendo, déjalos reposar durante 20 minutos, escúrrelos y cuela el líquido de remojo para usarlo.

Pollo estilo vasco

1. Con papel absorbente secar bien las piezas de pollo. En una bolsa de plástico colocar la harina, sazonar con sal y pimienta, agregar las piezas de pollo. Girar la parte superior de la bolsa para cerrarla, agitar para cubrir bien el pollo.

2. En una cacerola grande de base gruesa calentar 2 cucharadas del aceite a fuego medio alto. Agregar las piezas de pollo y freír durante 15 minutos aproximadamente, volteando, hasta que estén bien doradas. Con una cuchara coladora pasar a un plato.

3. Verter el resto del aceite a una cacerola, agregar la cebolla y los pimientos. Reducir a fuego medio y freír, revolviendo frecuentemente, hasta que comiencen a tomar color y a suavizarse. Añadir el ajo y el chorizo, freír durante 3 minutos más. Incorporar el arroz y freír por 2 minutos, revolviendo para cubrir con el aceite, hasta que el arroz esté transparente y dorado.

4. Verter el caldo, añadir los chiles machacados, el tomillo, el puré de tomate, sal y pimienta, dejar que suelte el hervor. Regresar el pollo a la cacerola, presionando ligeramente contra el arroz. Tapar y cocer a fuego muy lento durante 45 minutos, hasta que el pollo y el arroz estén cocidos y suaves.

5. Incorporar el jamón serrano, las aceitunas negras y la mitad del perejil. Tapar y cocinar durante 5 minutos más. Espolvorear con el resto del perejil y servir de inmediato.

Ingredientes PORCIONES 4-6

1.4kg/ 3 lb de pollo, cortado en 8 piezas
2 cucharadas de harina común
Sal y pimienta negra, recién molida
3 cucharadas de aceite de oliva
1 cebolla morada, pelada, rebanada
2 pimientos rojos, sin semillas, cortados en tiras gruesas
2 dientes de ajo, pelados, machacados
150g/ 5 oz de chorizo picante, cortado en trozos de 1cm
200g/ 7 oz de arroz blanco de grano largo
450ml de caldo de pollo
1 cucharadita de chiles secos, machacados
½ cucharadita de tomillo, seco
1 cucharada de puré de tomate
125g/ 4oz de jamón serrano, picado en cubos
12 aceitunas negras
2 cucharadas de perejil, recién picado

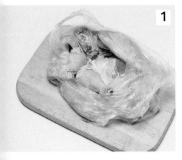

Pollo braseado en cerveza

1 Precalentar el horno a 170°C/ 325°F. Separar las piernas de los muslos y colocar las piezas en un recipiente resistente al fuego junto con las ciruelas y las hojas de laurel.

2 Para pelar los chalotes, colocarlos en un tazón pequeño y cubrirlos con agua hirviendo. Colarlos después de 2 minutos, enjuagarlos bajo el chorro de agua fría hasta que puedan manipularse; retirarles la piel. En una sartén grande de teflón calentar el aceite. Añadir los chalotes y cocer ligeramente durante 5 minutos hasta que comiencen a tomar color.

3 Agregar los champiñones a la sartén y cocer de 3 a 4 minutos, hasta que los champiñones y los chalotes estén suaves.

4 Espolvorear el azúcar sobre los chalotes y los champiñones, agregar la mostaza, el puré de tomate, la cerveza y el caldo de pollo. Sazonar al gusto con sal y pimienta, dejar que suelte el hervor, revolviendo para mezclar. Verter sobre el pollo. Tapar el recipiente y hornear durante 1 hora. Diluir la maicena en el jugo de limón y 1 cucharadita de agua fría, incorporar al recipiente del pollo. Regresar el recipiente al horno durante 10 minutos más, o hasta que el pollo esté cocido y las verduras estén suaves. Retirar la hoja de laurel e incorporar el perejil picado. Decorar el pollo con el perejil de hoja lisa. Servir con el puré de papas y las verduras verdes de la estación.

Ingredientes PORCIONES 4

4 piernas y muslos de pollo, sin piel
125g/ 4 oz de ciruelas pasas secas, sin hueso
2 hojas de laurel
12 chalotes
2 cucharaditas de aceite de oliva
125g/ 4 oz de champiñones botón, pequeños, limpios
1 cucharadita de azúcar morena
½ cucharadita de mostaza de grano entero
2 cucharaditas de puré de tomate
150ml de cerveza clara
150ml de caldo de pollo
Sal y pimienta negra, recién molida
2 cucharaditas de maicena
2 cucharaditas de jugo de limón amarillo
2 cucharadas de perejil fresco, picado
Perejil de hoja lisa, para decorar

Para acompañar:
Puré de papas
Verduras verdes de la estación

Pavo al horno con ensalada de verduras

1 Precalentar el horno a 200°C/ 400°F 15 minutos antes de comenzar a cocinar. Con papel aluminio forrar una charola grande para rostizar, verter la mitad del aceite de oliva y meter al horno durante 3 minutos o hasta que esté muy caliente. Retirar del horno, agregar las calabacitas y los pimientos, revolver para cubrir con el aceite. Hornear de 30 a 35 minutos o hasta que estén ligeramente chamuscados, voltear ocasionalmente.

2 Añadir los piñones a la charola. Regresar al horno y hornear 10 minutos o hasta que los piñones estén tostados. Retirar del horno y dejar que las verduras se enfríen por completo.

3 En una cacerola grande hervir agua con un poco de sal a fuego alto. Añadir los macarrones y cocer de acuerdo a las instrucciones del paquete, o hasta que estén "al dente". Colar y refrescar bajo el chorro de agua fría, reservar en un recipiente grande para ensaladas.

4 Cortar el pavo en trozos medianos y agregar a la pasta. Añadir las alcachofas y los jitomates junto con las verduras frías y el líquido de cocción. Mezclar el cilantro, el ajo, el resto del aceite, el vinagre y sazonar. Verter sobre la ensalada, revolver ligeramente y servir.

Ingredientes   PORCIONES 4

6 cucharadas de aceite de oliva
3 calabacitas, rebanadas
2 pimientos amarillos, sin semillas, rebanados
125g/ 4 oz de piñones
275g/ 10 oz de macarrones
350g/ 12 oz de pavo, cocido
280g/ 10 oz de alcachofas, de lata o de bote, asadas, coladas, rebanadas (ver nota)
225g/ 8 oz de jitomates roma, en cuartos
4 cucharadas de cilantro, recién picado
1 diente de ajo, pelado, picado
3 cucharadas de vinagre balsámico
Sal y pimienta negra, recién molida

Nuestra sugerencia

Otras verduras también combinan muy bien con este platillo. Prueba berenjenas baby cortadas en cuartos a lo largo o papitas cambray. Para asar las alcachofas fríelas ligeramente en una sartén con 1 cucharada de aceite de oliva caliente.

Tetrazzini de pavo

1 Precalentar el horno a 180°C/ 350°F. Engrasar ligeramente un recipiente resistente al fuego. Hervir agua ligeramente salada en una cacerola grande. Añadir la pasta y cocer de 7 a 9 minutos, o hasta que esté "al dente". Colar bien y reservar.

2 En una sartén grande de base gruesa calentar la mantequilla y agregar el tocino. Freír de 2 a 3 minutos o hasta que esté crujiente y dorado. Añadir la cebolla y los champiñones, freír de 3 a 4 minutos o hasta que las verduras estén suaves.

3 Incorporar la harina y cocer durante 2 minutos. Retirar del fuego, verter el caldo poco a poco. Devolver al fuego y cocer revolviendo hasta que se forme una salsa tersa y espesa. Agregar la pasta, verter la crema y el jerez. Añadir el pavo y el perejil. Sazonar al gusto con la nuez moscada, sal y pimienta. Revolver bien para bañar.

4 Pasar la mezcla al recipiente engrasado, esparcir uniformemente. Espolvorear encima el queso parmesano y hornear de 30 a 35 minutos, o hasta que esté crujiente, dorado y burbujee. Decorar con el perejil picado y el queso parmesano. Servir directo del recipiente.

Ingredientes   PORCIONES 4

275g/ 10 oz de tagliatelle, verde y blanco
50g/ 2 oz de mantequilla
4 rebanadas de tocino, con vetas, picado
1 cebolla, finamente picada
175g/ 6 oz de champiñones, finamente rebanados
40g/ 1 ½ oz de harina común
450ml de caldo de pollo
150ml de crema ácida
2 cucharadas de jerez
450g/ 1 lb de carne de pavo, cocida, cortada en trozos medianos
1 cucharada de perejil, recién picado
Nuez moscada, recién rallada
Sal y pimienta negra, recién molida
25g/ 1 oz de queso parmesano, rallado

Para decorar:

Perejil, recién picado
Queso parmesano, rallado

Consejo

Este platillo es una excelente forma de usar las sobras de Navidad, así que vale la pena poner un poco más de carne en el congelador. Usa las sobras congeladas antes de un mes.

Pato con salsa de bayas

1 Retirar la piel de las pechugas de pato, sazonar con un poco de sal y pimienta. Barnizar con el aceite una sartén acanalada, calentar en la estufa hasta que humee.

2 Colocar el pato, con el lado de la piel hacia abajo, en la sartén. Freír a fuego medio alto durante 5 minutos o hasta que esté bien dorado. Voltear el pato y freír durante 2 minutos más. Bajar el fuego y freír de 5 a 8 minutos o hasta que esté cocido y el centro esté ligeramente rosa. Retirar de la sartén y mantener caliente.

3 Mientras se cuece el pato, preparar la salsa. En una cacerola pequeña colocar el jugo de naranja, la hoja de laurel, la jalea de grosella, las bayas deshidratadas, frescas o congeladas y el azúcar. Verter el líquido de la sartén acanalada sobre la cacerola pequeña. Dejar que suelte el hervor, reducir a fuego lento y cocinar, sin tapar, de 4 a 5 minutos, hasta que la fruta esté suave.

4 Retirar la hoja de laurel. Incorporar el vinagre y la menta picada, sazonar al gusto con sal y pimienta.

5 Rebanar las pechugas en diagonal y acomodar en platos individuales. Bañar con la salsa de bayas y decorar con las ramitas de menta fresca. Servir de inmediato con las papas y los ejotes.

Ingredientes   PORCIONES 4

4 pechugas de pato, de 175g/ 6 oz, sin hueso
Sal y pimienta negra, recién molida
1 cucharadita de aceite de girasol

Para la salsa:

Jugo de 1 naranja
1 hoja de laurel
3 cucharadas de jalea de grosella roja
150g/ 5 oz de bayas mixtas, frescas o congeladas (moras, zarzamoras, arándanos y cerezas)
2 cucharadas de arándanos o cerezas, deshidratados
½ cucharadita de azúcar morena
1 cucharada de vinagre balsámico
1 cucharadita de menta, recién picada
Ramitas de menta fresca, para decorar

Para acompañar:

Papas, recién cocidas
Ejotes, recién cocidos

Nuestra sugerencia

Las pechugas de pato tienen mejor sabor si están un poco rosas en el centro. Sin embargo, el pato entero debe cocerse bien.

Salchichas de cerdo con gravy de cebolla

1 Derretir la mantequilla con el aceite y agregar las cebollas. Tapar y freír ligeramente durante 20 minutos hasta que las cebollas se hayan separado. Añadir el azúcar y revolver bien. Destapar y seguir friendo, revolviendo con frecuencia hasta que las cebollas estén muy suaves y doradas. Incorporar el tomillo y agregar la harina, sin dejar de revolver. Poco a poco verter el Madeira y el caldo. Dejar que suelte el hervor y cocinar a fuego lento durante 10 minutos.

2 Mientras, en una sartén grande colocar las salchichas y cocer a fuego medio de 15 a 20 minutos, volteando frecuentemente, hasta que estén doradas y ligeramente pegajosas.

3 Para el puré, hervir las papas en suficiente agua con un poco de sal de 15 a 18 minutos hasta que estén suaves. Escurrir bien y regresar a la cacerola, calentar a fuego lento para dejar que las papas se sequen bien. Retirar del fuego y añadir la mantequilla, la crème fraîche, sal y pimienta. Machacar y mezclar. Servir el puré de papa con las salchichas encima y el gravy de cebolla.

Ingredientes PORCIONES 4

50g/ 2 oz de mantequilla
1 cucharada de aceite de oliva
2 cebollas grandes, finamente rebanadas
Pizca de azúcar
1 cucharada de tomillo, recién picado
1 cucharada de harina común
100ml/ 3 ½ fl oz de Madeira (vino portugués)
200ml/ 7 fl oz de caldo de verduras
8–12 salchichas de cerdo, de buena calidad, dependiendo del tamaño

Para el puré:

900g/ 2 lb de papas, peladas
75g/ 3 oz de mantequilla
4 cucharadas de crème fraîche o crema agria
Sal y pimienta negra, recién molida

Nuestra sugerencia

Las salchichas deben cocerse siempre lentamente a fuego lento para asegurar que se cuezan por completo.

Filetes de cerdo con salsa de frijoles amarillos

1 Quitar la grasa o el cartílago de los filetes de cerdo, cortar en tiras finas. En un tazón diluir la salsa de soya, el jugo de naranja y la maicena, mezclar bien. Colocar la carne en un recipiente y bañar con la mezcla de la salsa, tapar y dejar marinar en el refrigerador durante 1 hora. Retirar con una cuchara coladora, reservar la marinada.

2 Calentar un wok, verter 2 cucharadas del aceite y freír revolviendo la carne de cerdo junto con el ajo durante 2 minutos o hasta que la carne esté sellada. Retirar con una cuchara coladora y reservar.

3 Verter el resto del aceite al wok, cocer las zanahorias, los ejotes y las cebollas de cambray durante 3 minutos aproximadamente, hasta que estén suaves y sigan crujientes. Devolver la carne al wok junto con la marinada reservada, verter la salsa de frijol amarillo. Freír revolviendo de 1 a 2 minutos o hasta que el pollo esté suave. Espolvorear el perejil picado y servir de inmediato con noodles o tallarines recién cocidos.

Ingredientes PORCIONES 4

450g/ 1 lb de filetes de cerdo
2 cucharadas de salsa de soya clara
2 cucharadas de jugo de naranja
2 cucharaditas de maicena
3 cucharadas de aceite de cacahuate
2 dientes de ajo, pelados, machacados
175g/ 6 oz de zanahorias, peladas, cortadas en juliana
125g/ 4 oz de ejotes finos, en mitades
2 cebollas de cambray, cortadas en tiras
4 cucharadas de salsa de frijol amarillo
1 cucharada de perejil de hoja lisa, recién picada, para decorar
Noodles o tallarines, recién cocidos

Dato culinario

Puedes encontrar la salsa de frijol amarillo en supermercados grandes o en tiendas de especialidades orientales. Es una de las salsas preparadas que se usa mucho en la cocina china. Puedes sustituirla por salsa de frijol negro.

Albóndigas de cerdo horneadas con pimientos

1 Precalentar el horno a 200˚C/ 400˚F 15 minutos antes de hornear.

2 Mezclar la carne de cerdo, la albahaca, 1 diente de ajo picado, los jitomates deshidratados y sazonar.

3 Con las manos húmedas repartir la mezcla en 16 porciones iguales, formar las albóndigas y reservar.

4 En una charola verter el aceite de oliva y meter al horno durante 3 minutos, hasta que esté bien caliente.

5 Retirar la charola del horno y colocar las albóndigas, el resto del ajo picado y los pimientos. Hornear durante 15 minutos.

6 Nuevamente retirar del horno y añadir los tomates cherry, sazonar al gusto con suficiente sal y pimienta. Hornear durante 20 minutos más.

7 Sacar las albóndigas del horno, incorporar el vinagre y servir de inmediato.

Ingredientes   PORCIONES 4

450g/ 1 lb de carne molida de cerdo, fresca
4 cucharadas de albahaca, recién picada
2 dientes de ajo, pelados, picados
3 jitomates deshidratados, picados
Sal y pimienta negra, recién molida
3 cucharadas de aceite de oliva
1 pimiento rojo mediano, sin semillas, cortado en trozos
1 pimiento verde mediano, sin semillas, cortado en trozos
1 pimiento amarillo mediano, sin semillas, cortado en trozos
225g/ 8 oz de tomates cherry
2 cucharadas de vinagre balsámico

Estofado de chuletas de cerdo

1 Precalentar el horno a 190°C/ 375°F 10 minutos antes de comenzar a cocinar. Quitar el exceso de grasa de las chuletas, limpiarlas con un paño limpio húmedo, espolvorear con un poco de harina y reservar. Cortar los chalotes a la mitad, si están grandes. Picar el ajo y rebanar los tomates deshidratados.

2 En una cacerola grande calentar el aceite de oliva, freír las chuletas de cerdo durante 5 minutos aproximadamente, volteando ocasionalmente durante la cocción, hasta que tomen un color dorado uniforme. Con una cuchara coladora retirar las chuletas de la cacerola y reservar. Añadir los chalotes y freír durante 5 minutos, revolviendo ocasionalmente.

3 Devolver las chuletas a la cacerola, esparcir el ajo y los tomates deshidratados, verter la lata de los jitomates junto con su jugo.

4 Licuar el vino tinto, el caldo y el puré de tomate, agregar el orégano picado. Sazonar al gusto con sal y pimienta, verter sobre las chuletas y dejar que suelte el hervor. Cubrir con una tapa ajustada y hornear durante 1 hora, o hasta que las chuletas estén suaves. Ajustar la sazón al gusto, esparcir encima unas cuantas hojas de orégano y servir de inmediato con las papas y los ejotes recién cocidos.

Ingredientes   PORCIONES 4

4 chuletas de cerdo
Harina para cubrir
225g/ 8 oz de chalotes, pelados
2 dientes de ajo, pelados
50g/ 2 oz de tomates deshidratados
2 cucharadas de aceite de oliva
400g/ 14 oz de tomates roma, de lata
150ml de vino tinto
150ml de caldo de pollo
3 cucharadas de puré de tomate
2 cucharadas de orégano, recién picado
Sal y pimienta negra, recién molida
Hojas de orégano fresco, para decorar

Para acompañar:

Papitas de cambray, recién cocidas
Ejotes recién cocidos

Consejo

Para esta receta usa chuletas con hueso. Retira el exceso de grasa y el cartílago antes de cocinar.

Pilaf de cordero

1 Precalentar el horno a 140°C/ 275°F. En un recipiente resistente al fuego con tapa ajustada calentar el aceite y añadir las almendras. Freír durante 1 minuto o hasta que comiencen a dorarse, revolviendo con frecuencia. Agregar la cebolla, la zanahoria y el apio, freír ligeramente de 8 a 10 minutos o hasta que las verduras estén suaves y ligeramente doradas.

2 Aumentar el fuego y añadir el cordero. Freír durante 5 minutos más, hasta que la carne haya cambiado de color. Agregar la canela molida y las hojuelas de chile, revolver un poco antes de añadir los jitomates y la ralladura de naranja.

3 Revolver, incorporar el arroz. Dejar que suelte el hervor y tapar ajustadamente. Hornear de 30 a 35 minutos, hasta que el arroz esté suave y el caldo se haya absorbido.

4 Retirar del horno y dejar reposar durante 5 minutos antes de incorporar el cebollín y el cilantro. Sazonar al gusto con sal y pimienta. Decorar con las rebanadas de limón y las ramitas de cilantro fresco, servir de inmediato.

Ingredientes   PORCIONES 4

2 cucharadas de aceite vegetal
25g/ 1 oz de almendras, fileteadas o en hojuelas
1 cebolla, finamente picada
1 zanahoria, pelada, finamente picada
1 tallo de apio, finamente picado
350g/ 12 oz de carne de cordero, magra, cortada en trozos
1/4 cucharadita de canela, molida
1/4 cucharadita de hojuelas de chile
2 jitomates grandes, sin piel, sin semillas, picados
Ralladura de 1 naranja
350g/ 12 oz de arroz basmati integral, precocido (de grano largo)
600ml de caldo de verduras o de cordero
2 cucharadas de cebollín, recién picado
3 cucharadas de cilantro, recién picado
Sal y pimienta negra, recién molida

Para decorar:
Rebanadas de limón amarillo
Ramitas de cilantro fresco

Cordero picante con salsa de yogur

1 En un tazón mezclar el chile en polvo, la canela, el curry en polvo, el comino, la sal y pimienta junto con 2 cucharadas del aceite. Reservar. Cortar la carne en tiras finas, añadir a la mezcla del aceite y especias y revolver hasta cubrir uniformemente. Tapar y dejar marinar en el refrigerador durante 30 minutos por lo menos.

2 Calentar un wok, verter el resto del aceite. Cuando esté caliente agregar las vainas de cardamomo y los clavos, freír revolviendo durante 10 segundos. Añadir la cebolla, el ajo y el jengibre al wok y freír revolviendo de 3 a 4 minutos hasta que se suavicen.

3 Agregar el cordero con la marinada y freír revolviendo durante 3 minutos más hasta que esté cocido. Incorporar el yogur, revolver bien y calentar hasta que burbujee. Espolvorear el cilantro picado y las cebollas de cambray rebanadas, servir de inmediato con arroz recién cocido y pan naan.

Ingredientes   PORCIONES 4

1 cucharadita de chile en polvo, picante
1 cucharadita de canela, molida
1 cucharadita de curry en polvo, medio picante
1 cucharadita de comino, molido
Sal y pimienta negra, recién molida
2 cucharadas de aceite de cacahuate
450g/ 1 lb de filetes de cordero, sin grasa
4 vainas de cardamomo, rotas
4 clavos, enteros
1 cebolla, finamente rebanada
2 dientes de ajo, pelados, machacados
Raíz de jengibre fresco, de 2.5cm, pelada, rallada
150ml de yogur griego

Para decorar:

1 cucharada de cilantro, recién picado
2 cebollas de cambray, cortadas en rebanadas finas

Para servir:

Arroz, recién cocido
Pan naan (pan plano, típico de la cocina hindú)

Pay Shepherd

1 Precalentar el horno a 200°C/ 400°F 15 minutos antes de cocinar. En una sartén grande calentar el aceite y añadir la cebolla, la zanahoria y el apio. Freír a fuego medio de 8 a 10 minutos hasta que estén suaves y comiencen a dorarse.

2 Agregar el tomillo y freír brevemente, añadir la carne cocida, el vino, el caldo y el puré de tomate. Sazonar al gusto con sal y pimienta, cocinar a fuego lento de 20 a 25 minutos hasta que se reduzca y se espese. Retirar del fuego y dejar enfriar un poco, sazonar de nuevo.

3 Mientras, cocer las papas en suficiente agua hirviendo con sal de 12 a 15 minutos hasta que estén suaves. Colar y devolver a la cacerola a fuego lento para que se sequen. Retirar del fuego, añadir la mantequilla, la leche y el perejil. Machacar hasta que la mezcla esté cremosa, añadiendo un poco de leche si es necesario. Ajustar la sazón.

4 Pasar la mezcla del cordero a un recipiente para horno. Colocar el puré sobre el relleno y esparcir uniformemente para cubrir por completo. Emparejar la superficie con un tenedor, colocar el recipiente sobre una charola para horno, hornear de 25 a 30 minutos, hasta que la costra de papas esté dorada y el relleno esté muy caliente. Decorar y servir.

Ingredientes   PORCIONES 4

- 2 cucharadas de aceite vegetal o de oliva
- 1 cebolla, pelada, finamente picada
- 1 zanahoria, pelada, finamente picada
- 1 tallo de apio, finamente picado
- 1 cucharada de ramitas de tomillo, fresco
- 450g/ 1 lb de sobras de cordero asado, finamente picado
- 150ml de vino tinto
- 150ml de caldo de cordero o de verduras o gravy sobrante
- 2 cucharadas de puré de tomate
- Sal y pimienta negra, recién molida
- 700g/ 1 ½ lb de papas, peladas, cortadas en trozos
- 25g/ 1 oz de mantequilla
- 6 cucharadas de leche
- 1 cucharada de perejil, recién picado
- Hierbas frescas, para decorar

Consejo

Si prefieres puedes usar cordero fresco. En una sartén de teflón fríe en seco 450g/ 1 lb de carne molida de cordero a fuego alto hasta que esté dorada y sigue la receta.

Penne marroquí

1 Precalentar el horno a 200°C/ 400°F 15 minutos antes de usarlo. En un recipiente grande resistente al fuego calentar el aceite de girasol. Añadir la cebolla picada y freír durante 5 minutos o hasta que esté suave.

2 Con un mortero machacar el ajo, las semillas de cilantro, las semillas de comino y la nuez moscada molida hasta formar una pasta. Agregar a la cebolla, freír durante 3 minutos.

3 Incorporar al recipiente la carne molida y freír, revolviendo con una cuchara de madera, de 4 a 5 minutos o hasta que la carne se haya desmenuzado y dorado.

4 Añadir la berenjena a la carne, freír durante 5 minutos. Agregar los tomates picados, verter el caldo de verduras y dejar que suelte el hervor. Añadir los chabacanos y las aceitunas, sazonar bien con sal y pimienta. Bajar el fuego y cocinar a fuego lento durante 15 minutos.

5 Agregar la pasta a la cacerola, revolver bien, tapar y colocar en el horno precalentado. Hornear durante 10 minutos, revolver y regresar al horno, sin tapar, de 15 a 20 minutos más o hasta que la pasta esté "al dente". Retirar del fuego, espolvorear con los piñones tostados y servir de inmediato.

Ingredientes PORCIONES 4

1 cucharada de aceite de girasol
1 cebolla morada, picada
2 dientes de ajo, pelados, machacados
1 cucharada de semillas de cilantro
1/4 cucharadita de semillas de comino
1/4 cucharadita de nuez moscada, recién molida
450g/ 1 lb de carne de cordero, molida, magra
1 berenjena, cortada en cubos
400g/ 14 oz de tomates de lata, picados
300ml de caldo de verduras
125g/ 4 oz de chabacanos, sin cáscara, pelados
12 aceitunas negras, sin hueso
Sal y pimienta negra, recién molida
350g/ 12 oz de penne
1 cucharada de piñones, tostados, para decorar

Nuestra sugerencia

Es muy fácil tostar los piñones. Repártelos en una charola para grill forrada con papel aluminio y ásalos a intensidad media de 3 a 4 minutos, volteando frecuentemente hasta que estén dorados. O ásalos en seco en una sartén de teflón, revolviendo constantemente pues pueden quemarse con facilidad.

Tiras de carne de res en salsa hoisin

1 Cortar el apio y las zanahorias en juliana fina y reservar.

2 Colocar la carne entre 2 láminas de papel encerado. Golpear con un mazo para carne o con un rodillo hasta que quede muy fina, cortar en tiras. Sazonar la maicena con sal y pimienta y cubrir la carne. Reservar.

3 En un wok calentar el aceite y añadir las cebollas de cambray, freír durante 1 minuto, agregar la carne y freír revolviendo de 3 a 4 minutos o hasta que la carne esté sellada.

4 Añadir el apio y la zanahoria en juliana al wok y freír revolviendo durante 2 minutos más antes de verter la salsa de soya, la salsa hoisin, la salsa de chile y el jerez. Dejar que suelte el hervor y cocinar a fuego lento de 2 a 3 minutos o hasta que la carne esté suave y las verduras estén cocidas.

5 Sumergir los noodles de huevo en agua hirviendo y dejar remojar durante 4 minutos. Colar, pasar a un platón grande para servir. Colocar encima las tiras de carne cocida, espolvorear el cilantro picado y servir de inmediato.

Ingredientes   PORCIONES 4

2 tallos de apio, cortado en trozos chicos
125g/ 4 oz de zanahorias, peladas
450g/ 1 lb de filetes de pulpa de res
2 cucharadas de maicena
Sal y pimienta negra, recién molida
2 cucharadas de aceite de girasol
4 cebollas de cambray, picadas
2 cucharadas de salsa de soya clara
1 cucharada de salsa hoisin
1 cucharada de salsa de chile dulce
2 cucharadas de jerez seco
250g/ 9 oz de noodles o espagueti
1 cucharada de cilantro, recién picado, para decorar

Consejo
Aunque en esta receta pedimos jerez seco, puedes sustituirlo por vino de arroz chino.

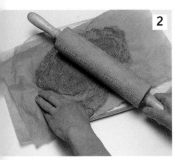

Espagueti a la boloñesa

1 En una sartén grande de base gruesa calentar el aceite de oliva, añadir el tocino y freír durante 5 minutos o hasta que tome un poco de color. Agregar la cebolla, la zanahoria, el apio, el ajo y la hoja de laurel, freír revolviendo durante 8 minutos o hasta que las verduras estén suaves.

2 Añadir la carne molida a la sartén y freír, revolviendo con una cuchara de madera para deshacer los grumos de la carne, de 5 a 8 minutos, o hasta que esté dorada.

3 Incorporar los tomates y la pasta de tomate a la carne, verter el caldo y el vino. Dejar que suelte el hervor, reducir el fuego y cocinar a fuego lento durante 40 minutos por lo menos, revolviendo ocasionalmente. Mientras más tiempo se cuece la salsa, más intenso es el sabor. Sazonar al gusto con sal y pimienta, retirar la hoja de laurel.

4 Mientras, hervir agua ligeramente salada en una cacerola grande a fuego alto, agregar el espagueti y cocer durante 8 minutos o hasta que esté "al dente". Colar y repartir en platos individuales calientes. Bañar con la salsa boloñesa preparada y servir de inmediato, espolvorear encima el queso parmesano rallado.

Ingredientes   PORCIONES 4

3 cucharadas de aceite de oliva
50g/ 2 oz de tocino, sin ahumar, con vetas, sin costra, picado
1 cebolla pequeña, finamente picada
1 zanahoria, pelada, finamente picada
1 tallo de apio, finamente picado
2 dientes de ajo, pelados, machacados
1 hoja de laurel
500g/ 1 lb 2 oz de carne de res, molida
400g/ 14 oz de tomates de lata, picados
2 cucharadas de pasta de tomate
150ml de vino tinto
150ml de caldo de res
Sal y pimienta negra, recién molida
450g/ 1 lb de espagueti
Queso parmesano, recién rallado, para servir

Dato culinario

La salsa boloñesa es originaria de la ciudad de Bolonia, en Italia, donde siempre se sirve con tagliatelle más que con espagueti.

Filete de res frito con champiñones cremosos

1   Cortar los chalotes a la mitad si están grandes, picar el ajo. En una sartén grande calentar el aceite y freír los chalotes durante 8 minutos, revolviendo ocasionalmente, o hasta que casi estén suaves. Agregar el ajo y la carne y freír de 8 a 10 minutos, volteando una vez durante la cocción, hasta que la carne tome un color café uniforme. Con una cuchara coladora pasar la carne a un plato y mantener caliente.

2   Enjuagar los jitomates y cortar en ocho piezas, limpiar los champiñones y rebanarlos. Añadir a la sartén y freír durante 5 minutos, revolviendo frecuentemente, hasta que los champiñones se hayan suavizado.

3   Verter el brandy y calentar bien. Retirar la sartén del fuego y flamear con cuidado. Dejar que las flamas disminuyan. Verter el vino, regresar al fuego y dejar que suelte el hervor. Cocinar hasta que se reduzca a un tercio. Retirar la sartén del fuego, sazonar con sal y pimienta, incorporar la crema y revolver.

4   Acomodar la carne en platos individuales y bañar con la salsa. Servir con papitas cambray y ejotes cocidos.

Ingredientes   PORCIONES 4

225g/ 8 oz de chalotes, pelados
2 dientes de ajo, pelados
2 cucharadas de aceite de oliva
4 medallones de res
4 jitomates roma
125g/ 4 oz de champiñones de
   diferentes variedades
3 cucharadas de brandy
150ml de vino tinto
Sal y pimienta negra, recién molida
4 cucharadas de crema ácida

Para acompañar:

Papitas cambray, recién cocidas
Ejotes, recién cocidos

Nuestra sugerencia

Para preparar los medallones de res, compra un trozo de filete de res que pese aproximadamente 700g/ 1 ½ lb. Córtalo en diagonal en 4 piezas.

Carne de res con paprika

1 Aplanar la carne hasta que esté muy fina, retirar la grasa y cortar en tiras finas. Sazonar la harina con sal, pimienta y paprika, revolcar la carne en la harina sazonada hasta cubrirla bien.

2 Mientras hervir agua salada en una cacerola y colocar el arroz, cocinar a fuego lento durante 15 minutos hasta que esté suave, o seguir las instrucciones del paquete. Colar el arroz, regresar a la cacerola, incorporar 25g/ 1 oz de la mantequilla, cubrir y mantener caliente.

3 Calentar un wok, verter el aceite y 25g/ 1 oz de la mantequilla, añadir la carne y freír revolviendo de 3 a 5 minutos hasta que esté sellada. Retirar del wok con una cuchara coladora y reservar. Colocar el resto de la mantequilla en el wok y freír revolviendo los aros de cebolla y los champiñones botón de 3 a 4 minutos.

4 Verter el jerez al wok muy caliente, bajar la intensidad del fuego. Regresar la carne al wok junto con la crema agria y sazonar al gusto. Calentar un poco más y, espolvorear encima el cebollín picado. Decorar con los manojos de cebollín y servir de inmediato con el arroz cocido.

Ingredientes PORCIONES 4

700g/ 1 ½ lb de pulpa de res
3 cucharadas de harina común
Sal y pimienta negra, recién molida
1 cucharada de paprika
350g/ 12 oz de arroz de grano largo
75g/ 3 oz de mantequilla
1 cucharadita de aceite de oliva
1 cebolla, finamente rebanada en aros
225g/ 8 oz de champiñones botón, limpios, rebanados
2 cucharaditas de jerez seco
150ml de crema agria
2 cucharadas de cebollín, recién picado
Manojo de cebollín, para decorar

Consejo

Los champiñones botón de esta receta pueden sustituirse por champiñones silvestres. La variedad chantarelle combina especialmente bien con la carne de res, también las setas ceps.

Postres

¡A todos nos encantan los postres! Y siempre tenemos espacio para comer alguno, así que adelante, consiéntete. No es necesario que estés en la cocina durante horas para preparar algo dulce. El Mármol de uvas y almendras es una opción rápida y deliciosa, también lo es el Brown Belly de manzanas y canela, además de una variedad de platillos para satisfacer a los adictos al chocolate, como el Sundae de chocolate o el Mousse helado de chocolate y frambuesas.

Mármol de uvas y almendras

1 En un tazón mezclar el fromage frais y el yogur, con una cuchara grande de metal o una espátula de plástico incorporar ligeramente el azúcar glas cernida y la crema de cassis hasta que la mezcla esté ligeramente combinada.

2 Con un cuchillo pequeño retirar las semillas de las uvas. Enjuagar y secar en papel absorbente.

3 En un tazón colocar las uvas sin semillas y añadir el jugo de las uvas al quitarles las semillas.

4 En una bolsa de plástico colocar las galletas de almendra y machacar grueso con un rodillo. De manera alternativa, usar un procesador de alimentos.

5 Cortar el maracuyá en mitades, sacar las semillas con una cuchara pequeña y reservar.

6 Repartir casi toda la mezcla del yogur en 4 vasos altos, alternando en capas con las uvas, las galletas desmenuzadas y casi todas las semillas de maracuyá. Terminar con la mezcla del yogur, el resto de las semillas de maracuyá y el resto de las galletas desmenuzadas. Enfriar durante 1 hora y decorar con las uvas extra. Espolvorear ligeramente con el azúcar glas y servir.

Ingredientes   PORCIONES 4

300ml de fromage frais, bajo en grasa (queso tipo requesón)
300ml de yogur griego, bajo en grasa
3 cucharadas de azúcar glas, cernida
2 cucharadas de crema de cassis
450g/ 1 lb de uvas moradas
175g/ 6 oz de galletas de almendra
2 maracuyás, maduros

Para decorar:

Azúcar glas
Uvas extra, opcional

Dato culinario

El maracuyá es originario de Brasil. Es una fruta de color púrpura y es del tamaño de un huevo. Busca los que estén arrugados y no suaves, pues eso significa que están maduros y saben mejor.

Crumble crujiente de ruibarbo

1 Precalentar el horno a 180°C/ 350°F. En un tazón grande colocar la harina y la mantequilla, incorporar con los dedos hasta que la mezcla parezca migajas de pan, o procesar unos segundos en el procesador de alimentos.

2 Añadir los copos de avena, el azúcar morena, las semillas de ajonjolí y la canela. Mezclar bien y reservar.

3 Para preparar el ruibarbo, retirar los extremos gruesos de los tallos y cortar diagonalmente en trozos de 2.5cm. Lavar bien y secar con un paño limpio. Colocar el ruibarbo en un recipiente para pay de 1.1 litros de capacidad.

4 Espolvorear el azúcar extrafina sobre el ruibarbo, colocar encima la mezcla reservada del crumble. Emparejar la superficie para que el ruibarbo esté bien cubierto y presionar firmemente. Espolvorear un poco de azúcar extrafina, opcional.

5 Colocar sobre una charola para horno y hornear de 40 a 50 minutos o hasta que el ruibarbo esté suave y la cubierta esté dorada. Espolvorear un poco más de azúcar extrafina y servir caliente con crema inglesa o natilla.

Ingredientes   PORCIONES 6

125g/ 4 oz de harina común
50g/ 2 oz de mantequilla, suavizada
50g/ 2 oz de copos de avena
50g/ 2 oz de azúcar morena
1 cucharada de semillas de ajonjolí
½ cucharadita de canela, molida
450g/ 1 lb de ruibarbo, fresco
50g/ 2 oz de azúcar extrafina
Crema inglesa (custard) o natilla

Consejo

Para hacer la crema inglesa tú mismo, en una cacerola vierte 600ml de leche con unas gotas de extracto de vainilla y deja que suelte el hervor. Retira del fuego y deja que se enfríe. Mientras, bate 5 yemas de huevo y 3 cucharadas de azúcar extrafina en un tazón para mezclar hasta que estén espesas y de color pálido. Vierte la leche, revuelve y cuela sobre una cacerola de base gruesa. Cuece la crema a fuego lento, revolviendo constantemente hasta que tome consistencia de crema espesa. Vierte sobre el crumble de ruibarbo y sirve.

Ensalada de frutas

1 En una cacerola pequeña colocar el azúcar y 300ml de agua, calentar ligeramente, revolviendo hasta que el azúcar se disuelva. Dejar que suelte el hervor y cocinar a fuego lento durante 2 minutos. Cuando se forme el jarabe, retirar del fuego y dejar enfriar.

2 Con un cuchillo filoso cortar la cáscara de las naranjas y rebanarlas grueso. Cortar cada rebanada por la mitad, colocarlas en un plato para servir junto con el jarabe y los lichis.

3 Pelar el mango, cortar en rebanadas gruesas alrededor del hueso. Desechar el hueso y cortar la pulpa en trozos medianos, añadir al jarabe.

4 Con un cuchillo filoso quitar la cáscara de la piña. Retirar el centro con un cuchillo, cortar la piña en trozos y añadir al jarabe.

5 Pelar la papaya, cortar a la mitad y quitar las semillas. Cortar la pulpa en trozos, rebanar el jengibre en juliana y añadir, junto con el almíbar a la fruta.

6 Retirar la fina piel de las grosellas y enjuagar un poco. Cortar las fresas a la mitad, añadir a la fruta junto con el extracto de almendras y refrigerar durante 30 minutos. Esparcir encima las hojas de menta y la ralladura de limón verde para decorar. Servir.

Ingredientes   PORCIONES 4

125g/ 4 oz de azúcar extrafina
3 naranjas
700g/ 1 ½ lb de lichis, pelados, sin hueso
1 mango, pequeño
1 piña, pequeña
1 papaya
4 piezas de tallo de jengibre, en almíbar
4 cucharadas de almíbar del jengibre
125g/ 4 oz de grosella
125g/ 4 oz de fresas, sin tallo
½ cucharadita de extracto de almendras

Para decorar:

Ralladura de limón verde
Hojas de menta

Dato culinario

Una ensalada de frutas es el final perfecto de una buena comida, pues refresca el paladar y aporta muchas vitaminas.

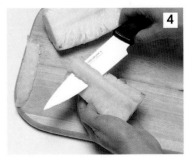

Sorpresa de limón

1 Precalentar el horno a 190°C/ 375°F. Engrasar ligeramente un recipiente resistente al fuego.

2 Batir la margarina con el azúcar hasta que tome un color pálido y se esponje.

3 Incorporar las yemas de huevo, una a la vez, con 1 cucharada de la harina y batir bien después de cada adición. Una vez incorporadas, agregar el resto de la harina.

4 Añadir la leche, 4 cucharadas del jugo de limón y 3 cucharadas del jugo de naranja.

5 Batir las claras de huevo hasta que estén firmes, agregar a la mezcla del pudín con una cuchara de metal o una espátula de plástico, y revolver hasta que estén bien mezcladas. Verter al recipiente preparado.

6 Colocar el recipiente sobre una charola profunda y llenar con agua suficiente para cubrir la mitad de la altura del recipiente.

7 Hornear durante 45 minutos, hasta que se levante bien y se sienta esponjoso al tacto.

8 Retirar el pudín del horno y espolvorear el azúcar glas encima. Decorar con los twists de limón y servir de inmediato con las fresas.

Ingredientes   PORCIONES 4

75g/ 3 oz de margarina, baja en grasa
175g/ 6 oz de azúcar extrafina
3 huevos, separados
75g/ 3 oz de harina con
    ½ cucharadita de polvo para
    hornear
450ml de leche semidescremada
Jugo de 2 limones amarillos
Jugo de 1 naranja
2 cucharaditas de azúcar glas
Twists de limón, para decorar
Fresas rebanadas

Dato culinario

Esta receta utiliza baño María (cuando el recipiente se coloca dentro de una charola con agua, como en el paso 6), lo cual permite que el pudín se cocine más lentamente. El baño María es necesario porque la margarina baja en grasa no responde bien si se hornea a altas temperaturas.

Duraznos rellenos

1 Precalentar el horno a 180°C/ 350°F. Cortar los duraznos a la mitad y quitarles los huesos. Cortar una rebanada muy fina de la parte inferior de cada mitad para que se paren en la charola. Remojar cada mitad en el jugo de limón y acomodarlas en una charola para horno.

2 Desmenuzar un poco las galletas de almendras y colocarlas en un tazón grande. Agregar las almendras, los piñones, el azúcar, la ralladura de limón y la mantequilla. Con los dedos trabajar la mezcla hasta que parezca migajas grandes de pan. Incorporar la yema de huevo y mezclar bien hasta que la mezcla apenas comience a unirse.

3 Repartir la mezcla de las galletas y las nueces entre las mitades de durazno, presionando ligeramente. Hornear durante 15 minutos o hasta que los duraznos estén suaves y el relleno esté dorado. Retirar del horno y bañar con la miel.

4 Acomodar 2 mitades de durazno en cada plato, colocar encima una cucharada de crème fraîche o yogur griego y servir.

Ingredientes   PORCIONES 4

4 duraznos maduros
Ralladura y jugo de 1 limón amarillo
75g/ 3 oz de galletas de almendras
50g/ 2 oz de almendras, blanqueadas, picadas, tostadas
50g/ 2 oz de piñones, tostados
40g/ 1 ½ oz de azúcar moscabada
50g/ 2 oz de mantequilla
1 yema de huevo
2 cucharaditas de miel clara
Crème fraîche o yogur griego, para servir

Consejo

Si no encuentras duraznos sustitúyelos con nectarinas. Otra alternativa es usar duraznos de lata en jugo, no en almíbar. Puedes cambiar el relleno según tus gustos personales —prueba con almendras molidas, azúcar extrafina, trifle y ralladura de limón, humedecido con jerez. (Un trifle es un pastel esponjoso con crema inglesa, jugo de frutas y frutas).

1

2

3

Brown Betty de manzanas y canela

1 Precalentar el horno a 180°C/ 350°F. Engrasar ligeramente un recipiente resistente al fuego de 900ml de capacidad. Pelar las manzanas, quitar el centro y rebanar, pasar a una cacerola junto con el azúcar extrafina, la ralladura de limón y 2 cucharadas de agua. Cocinar a fuego lento de 10 a 15 minutos o hasta que estén suaves.

2 Mezclar el pan molido con el azúcar morena y la canela. Acomodar la mitad de las manzanas endulzadas en la base del recipiente engrasado y colocar encima la mitad de la mezcla del pan molido. Poner el resto de las manzanas encima y cubrir con el resto de la mezcla del pan molido.

3 Derretir la mantequilla y verter sobre la superficie de las manzanas. Cubrir el recipiente con papel encerado o papel para hornear y hornear durante 20 minutos. Retirar el papel y hornear de 10 a 15 minutos más, o hasta que esté dorado.

4 Para hacer la natilla, en un tazón batir las yemas de huevo y el azúcar extrafina hasta que estén cremosas. Mezclar 1 cucharada de la leche con la maicena hasta obtener una pasta, reservar.

5 Calentar el resto de la leche hasta que casi hierva y verter sobre la mezcla del huevo junto con la pasta y el extracto de vainilla.

6 Colocar el tazón sobre una cacerola con agua hirviendo a fuego lento. Revolver sobre el fuego hasta que espese y cubra el dorso de una cuchara. Pasar a una jarra y servir caliente sobre el pudín.

Ingredientes PORCIONES 4

450g/ 1 lb de manzanas para cocinar
50g/ 2 oz de azúcar extrafina
Ralladura fina de 1 limón amarillo
125g/ 4 oz de pan blanco molido
125g/ 4 oz de azúcar morena
½ cucharadita de canela
25g/ 1 oz de mantequilla

Para la natilla:

3 yemas de huevo
1 cucharada de azúcar extrafina
600ml de leche
1 cucharada de maicena
Gotas de extracto de vainilla

Consejo

Para obtener una natilla más consistente sustituye la leche de esta receta por crema ácida y aumenta a 4 el número de yemas.

Pay de almendras y piñones

1 Para hacer la costra, en un procesador de alimentos mezclar la harina con la mantequilla hasta que parezca migajas de pan. Incorporar el azúcar extrafina, y batir la yema de huevo con el agua fría y añadir al procesador. Procesar hasta que la mezcla comience a formar una pelota, añadir un poco más de agua fría si es necesario. Pasar a una superficie enharinada y amasar ligeramente hasta que esté tersa. Envolver y refrigerar durante 30 minutos por lo menos.

2 Precalentar el horno a 200°C/ 400°F. Extender la masa y forrar un molde para pay de 22.5cm. Enfriar en el refrigerador durante 10 minutos, forrar con papel encerado y colocar frijoles crudos encima, hornear durante 10 minutos. Retirar el papel y los frijoles y hornear de 10 a 12 minutos más, hasta que esté cocida. Dejar enfriar. Reducir la temperatura a 190°C/ 375°F.

3 En el procesador de alimentos moler las almendras hasta que tengan una consistencia fina. Añadir el azúcar, la sal, los huevos, el extracto de vainilla y de almendras y mezclar. Agregar la mantequilla, la harina y el polvo para hornear, seguir mezclando hasta que esté suave.

4 Untar una capa gruesa de la jalea en la costra fría, verter encima el relleno de almendras. Espolvorear uniformemente los piñones y hornear durante 30 minutos, hasta que esté firme y dorado. Retirar del horno y dejar enfriar. Espolvorear generosamente con el azúcar glas y servir con crema batida.

Ingredientes   PORCIONES 6

250g/ 9 oz de costra para pay, preparada, o:

Para la costra:

175g/ 6 oz de harina común
75g/ 3 oz de mantequilla, fría, en cubos
25g/ 1 oz de azúcar extrafina
1 yema de huevo
2 cucharadas de agua fría

Para el relleno:

75g/ 3 oz de almendras blanqueadas
75g/ 3 oz de azúcar extrafina
Pizca de sal
2 huevos
1 cucharadita de extracto de vainilla
2–3 gotas de extracto de almendras
125g/ 4 oz de mantequilla, sin sal, suavizada
2 cucharadas de harina
½ cucharadita de polvo para hornear
3–4 cucharadas de mermelada de frambuesa
50g/ 2 oz de piñones
Azúcar glas, para decorar
Crema batida

Zabaglione con compota de pasas en Marsala

1 En un tazón pequeño colocar las pasas con la cáscara de limón y la canela molida. Verter el vino Marsala para cubrir y dejar macerar durante 1 hora por lo menos. Retirar las pasas del Marsala cuando estén infladas, reservar las pasas y el vino, desechar la cáscara de limón.

2 En un recipiente grande resistente al fuego mezclar las yemas de huevo y el azúcar. Agregar el vino blanco y el Marsala, revolver bien para mezclar. Colocar el recipiente sobre una cacerola con agua hirviendo a fuego lento, asegurarse de que la base del recipiente no toque el agua. Revolver constantemente hasta que la mezcla aumente al doble de tamaño.

3 Retirar del fuego y continuar revolviendo durante 5 minutos aproximadamente, hasta que la mezcla se haya enfriado ligeramente. Incorporar las pasas y de inmediato incorporar la crema batida. Servir en tazones para postre o en copas de globo y acompañar con galletas crujientes.

Ingredientes PORCIONES 6

2 cucharadas de pasas
1 tira fina de cáscara de limón amarillo
½ cucharadita de canela, molida
3 cucharadas de vino Marsala
3 yemas de huevo
3 cucharadas de azúcar extrafina
125ml/ 4 fl oz de vino blanco seco
150ml de crema ácida, ligeramente batida
Galletas crujientes, para servir

Dato culinario

El zabaglione, una mezcla italiana de huevos, azúcar y vino es casi idéntico al sabayon, una mezcla francesa de huevos, azúcar y vino. Prepara el zabaglione como se indica y omite las pasas. Sirve con peras pochadas, frutas de verano o solo, en copas de vidrio.

Pudín cremoso con compota de frutas mixtas

1 Programar el congelador para congelado rápido. Batir la crema hasta que forme picos suaves. Incorporar el queso ricotta y la mitad del azúcar.

2 En un tazón sobre una cacerola con agua hirviendo a fuego lento colocar el chocolate. Revolver hasta que se derrita.

3 Retirar del fuego y dejar enfriar, revolviendo ocasionalmente. Incorporar a la mezcla del queso hasta que esté bien integrado.

4 Pasar la mezcla a seis moldes individuales para pudín, emparejar la superficie de cada uno con el dorso de una cuchara. Colocar en el congelador durante 4 horas.

5 En una sartén colocar el resto del azúcar junto con las frutas, calentar ligeramente, revolviendo ocasionalmente, hasta que el azúcar se disuelva y los jugos comiencen a salir. Verter el Cointreau al gusto.

6 Colocar los moldes para pudín en agua caliente durante 30 segundos y voltear para desmoldar sobre seis platos individuales. Añadir la compota de frutas sobre los pudines y servir de inmediato. Reprogramar el congelador.

Ingredientes PORCIONES 6

300ml de crema para batir, semidescremada
250g de queso ricotta
50g/ 2 oz de azúcar extrafina
125g/ 4 oz de chocolate blanco, en trocitos
350g/ 12 oz de frutas mixtas como fresas, arándanos y frambuesas
2 cucharadas de Cointreau (licor de naranja)

Peras al maple con pistaches y salsa de chocolate

1 En un wok a fuego medio derretir la mantequilla. Bajar un poco la intensidad del fuego, agregar los pistaches y freír revolviendo durante 30 segundos.

2 Añadir las peras al wok, freír durante 2 minutos, volteando con frecuencia y con cuidado, hasta que los pistaches comiencen a dorarse y las peras estén suaves.

3 Verter el jugo de limón junto con el jengibre molido y el jarabe de maple. Cocer de 3 a 4 minutos o hasta que el jarabe se reduzca un poco. Pasar las peras y el jarabe a un platón para servir y dejar enfriar de 1 a 2 minutos, mientras se prepara la salsa de chocolate.

4 Verter la crema y la leche al wok. Añadir el extracto de vainilla y calentar hasta que suelte el hervor. Retirar el wok del fuego.

5 Añadir el chocolate al wok y dejar que se derrita durante 1 minuto, revolver hasta que el chocolate esté bien mezclado con la crema. Pasar a una jarra y servir caliente junto con las peras.

Ingredientes PORCIONES 4

25g/ 1 oz de mantequilla, sin sal
50g/ 2 oz de pistaches, sin sal
4 peras, medio maduras, peladas, sin centro, cortadas en cuartos
2 cucharadas de jugo de limón amarillo
Pizca de jengibre, molido (opcional)
6 cucharadas de jarabe de maple

Para la salsa de chocolate:

150ml de crema ácida
2 cucharadas de leche
½ cucharadita de extracto de vainilla
150g/ 5 oz de chocolate oscuro, cortado en cuadros, picado grueso

Dato culinario

El jarabe de maple se extrae de los árboles de maple al comienzo de la primavera, cuando la savia está fluyendo. El líquido se hierve hasta que toma un color café y consistencia espesa. La mayoría de los jarabes tienen un color y un sabor similares, aunque es posible encontrar jarabes preparados en diferentes etapas de la primavera que tienen una consistencia más rica.

Cheesecake de chocolate con naranja

1 Engrasar ligeramente un molde redondo desmontable para pastel de 20cm y forrar con papel encerado. En una bolsa de plástico colocar las galletas y machacar con un rodillo. Alternativamente, usar un procesador de alimentos. Derretir la mantequilla en una cacerola mediana de base gruesa, agregar las galletas machacadas y mezclar bien. Presionar la mezcla de las galletas contra la base del molde forrado, refrigerar durante 20 minutos.

2 Para el relleno, sacar el queso crema del refrigerador 20 minutos antes de usarlo para que esté a temperatura ambiente. Colocar el queso en un tazón y batir hasta que esté suave, reservar.

3 En un tazón pequeño colocar 4 cucharadas de agua y esparcir encima la grenetina. Dejar reposar durante 5 minutos, hasta que se esponje. Colocar el tazón sobre una cacerola con agua hirviendo a fuego lento y dejar que se disuelva, revolviendo un poco. Dejar enfriar ligeramente. En un recipiente resistente al fuego sobre una cacerola con agua hirviendo derretir el chocolate de naranja, dejar enfriar y reservar.

4 Batir la crema hasta que forme picos suaves. Incorporar la grenetina y el chocolate al queso crema. Agregar la crema. Pasar al molde y emparejar la superficie. Refrigerar durante 4 horas hasta que esté cuajado.

5 Desmoldar el cheesecake y colocar sobre un platón para servir. Colocar las frutas encima, espolvorear el azúcar glas y decorar con las ramitas de menta.

Ingredientes PORCIONES 8

Para la base:
225g/ 8 oz de galletas digestive cubiertas de chocolate o galletas María
50g/ 2 oz de mantequilla

Para el relleno:
450g/ 1 lb de queso crema, suave
1 cucharada de grenetina
350g/ 12 oz de chocolate con naranja, en trozos
600ml de crema ácida

Para acompañar:
450g/ 1 lb de fruta mixta, como moras, zarzamoras y fresas
1 cucharada de azúcar glas, cernida
Ramitas de menta fresca, para decorar

Nuestra sugerencia
Siempre añade la grenetina a la mezcla con la que estás trabajando y revuelve bien para distribuirla de manera uniforme. Nunca añadas la mezcla a la grenetina pues lo más seguro es que forme grumos al cuajarse.

Sundae de chocolate

1   Para hacer la salsa de chocolate, en una cacerola de base gruesa colocar el chocolate y la crema, calentar ligeramente hasta que el chocolate se derrita y se incorpore a la crema. Revolver hasta que la mezcla esté tersa. Agregar el azúcar con la harina y la sal, añadir la mezcla de chocolate para formar una pasta suave.

2   Incorporar gradualmente el resto de la mezcla del chocolate a la pasta y pasar a una cacerola limpia. Cocinar a fuego lento, revolviendo frecuentemente, hasta que esté suave y espesa. Retirar del fuego e incorporar la mantequilla y el extracto de vainilla. Revolver hasta que esté tersa, enfriar ligeramente.

3   Para armar el sundae, con un cuchillo aplastar ligeramente las frambuesas y reservar. Poner un poco de la salsa de chocolate en el fondo de 2 copas para helado. Agregar una capa de frambuesas machacadas, una bola de helado de vainilla y una de helado de chocolate.

4   Colocar otra bola del helado de vainilla encima, bañar con la salsa, espolvorear las almendras y servir con una galleta wafer.

Ingredientes   RINDE 2

Para la salsa de chocolate:
75g/ 3 oz de chocolate oscuro, en trozos
450ml de crema para batir
175g/ 6 oz de azúcar extrafina
25g/ 1 oz de harina común
Pizca de sal
15g/ ½ oz de mantequilla, sin sal
1 cucharadita de extracto de vainilla

Para el sundae:
125g/ 4 oz de frambuesas, frescas o descongeladas
4 bolas de helado de vainilla
2 bolas de helado de chocolate
2 cucharadas de almendras, tostadas, fileteadas
Galletas wafers

Nuestra sugerencia
Guarda la salsa sobrante de chocolate en el refrigerador de 1 a 2 semanas, caliéntala justo antes de servir.

Mousse helado de chocolate y frambuesas

1 Machacar las soletas en trozos pequeños y repartir en 4 tazones de vidrio individuales. Licuar el jugo de naranja y el Grand Marnier, verter sobre las soletas. Tapar con plástico adherente y refrigerar durante 30 minutos.

2 Mientras, en una cacerola pequeña de base gruesa colocar la crema y calentar ligeramente, revolviendo constantemente, hasta que hierva. Retirar la cacerola del fuego e incorporar el chocolate oscuro, dejar reposar durante 7 minutos aproximadamente. Batir el chocolate con la crema hasta que el chocolate esté derretido y la mezcla esté tersa e incorporada. Dejar enfriar ligeramente.

3 En un procesador de alimentos colocar las frambuesas congeladas junto con el azúcar glas, procesar hasta que estén picadas grueso.

4 Incorporar las frambuesas a la mezcla del chocolate con la crema hasta que estén bien mezcladas. Servir sobre las soletas frías. Espolvorear ligeramente con la cocoa en polvo, decorar con las frambuesas enteras, las hojas de menta y el chocolate blanco rallado. Servir de inmediato.

Ingredientes PORCIONES 4

12 soletas
Jugo de 2 naranjas
2 cucharadas de Grand Marnier
300ml de crema para batir
175g/ 6 oz de chocolate oscuro, cortado en trozos pequeños
225g/ 8 oz de frambuesas congeladas
6 cucharadas de azúcar glas, cernida
Cocoa, en polvo, para espolvorear

Para decorar:

Frambuesas frescas, enteras
Hojas de menta
Chocolate blanco, rallado

Nuestra sugerencia

Saca las frambuesas del congelador 20 minutos antes de que las hagas puré. De esta manera se suavizan un poco, sin que lleguen a descongelarse.

Pudín de chocolate con salsa fudge

1 Precalentar el horno a 170°C/ 325°F. Engrasar un recipiente de 900ml de capacidad.

2 En un tazón grande acremar la mantequilla con el azúcar hasta que esté ligera y esponjosa.

3 Mezclar con el chocolate derretido, la harina, el chocolate en polvo y el huevo, revolver bien. Pasar la mezcla al recipiente preparado y emparejar la superficie.

4 Para hacer la salsa fudge, revolver el azúcar morena, la cocoa en polvo y las nueces, esparcir sobre la superficie del pudín.

5 Diluir el azúcar extrafina en el café cargado caliente hasta que se disuelva. Verter el café sobre la superficie del pudín.

6 Hornear de 50 a 60 minutos, hasta que la superficie se sienta firme al tacto. Debajo del pastel se queda una rica salsa. Retirar del horno, espolvorear con el azúcar glas y servir caliente con la crema batida.

Ingredientes   PORCIONES 4

75g/ 3 oz de mantequilla
75g/ 3 oz de azúcar extrafina
50g/ 2 oz de chocolate oscuro, derretido
50g/ 2 oz de harina con 1/8 cucharadita de polvo para hornear
25g/ 1 oz de chocolate en polvo, para beber
1 huevo grande
1 cucharada de azúcar glas, para espolvorear
Crema batida

Para la salsa fudge:

50g/ 2 oz de azúcar morena
1 cucharada de cocoa, en polvo
40g/ 1 ½ oz de nueces, picadas grueso
25g/ 1 oz de azúcar extrafina
300ml de café negro, cargado

Consejo

Coloca 6 ciruelas rojas en mitades y sin hueso en la base del recipiente antes de añadir el pan de chocolate.

Índice